新世界

海賊の作法

監修　山田吉彦

GB

はじめに

悪者であり英雄でもある海賊という不思議な存在

海上で船を見つければ襲いかかり、沿岸の町では掠奪や人殺しなど悪行のかぎりを尽くす荒くれ者――おそらく多くの人が持つ海賊のイメージはこのようなものだと思われる。

しかしその一方で、映画『パイレーツ・オブ・カリビアン』のジャック・スパロウや、漫画『ONE PIECE』のルフィのような、勇猛果敢なヒーローとしての海賊をイメージしている人も少なくないだろう。

このような矛盾を抱えている海賊像には、実は彼らがたどってきた歴史が深く関係している。

たとえば中世末期の地中海に、バルバリアと呼ばれるオスマン帝国支配下の海賊がいた。ただし、彼らを「海賊」と呼んでいたのは、敵対していたスペイン人やイタリア人であり、自国であるオスマン帝国にとっては英雄的存在であった。日本の海賊として知られる村上海賊も敵方から見れば海賊であるが、味方からすれば頼もしい援軍にほかならない。

海賊を主人公とした映画や小説において、彼らが単なる悪者として描かれない理由には、こうした二つの側面を持っていた歴史的背景があるのだ。

悪者であり、英雄でもある不思議な魅力を持つ海賊という存在――本書はそんな古今東西の海賊たちの作法や社会の仕組み、文化などを数多くのイラストを用いて詳しく紹介する。

本書を読み終えたとき、きっと海賊に対する見方は多角的なものになっていることだろう。

山田吉彦

早わかり海賊 ①

海賊像を決定づけた大航海時代

ヨーロッパ諸国が外洋に乗り出した大航海時代。海賊たちも冒険の待つ世界の海へと船出した。現代人の持つ海賊のイメージが形作られた時期だ。

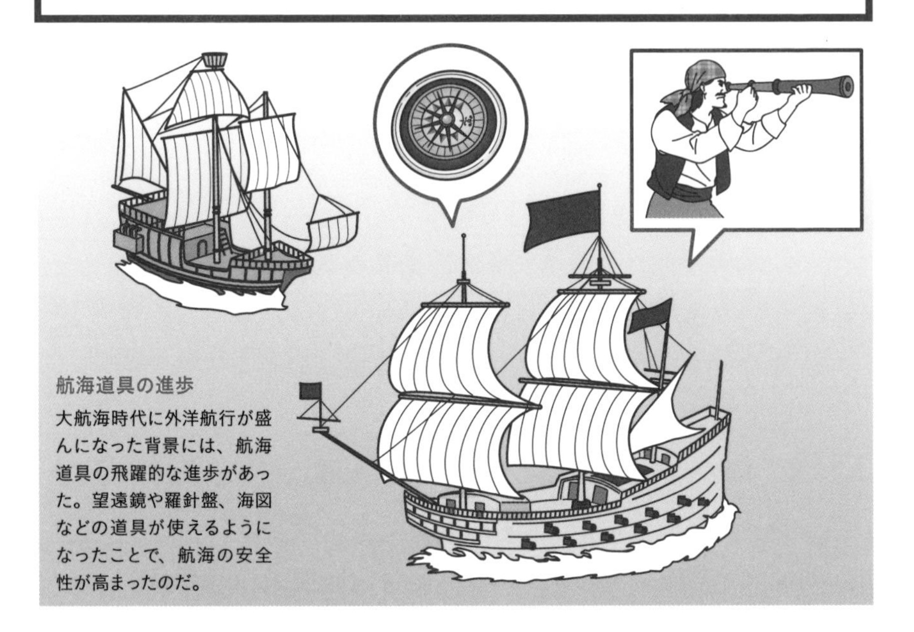

航海道具の進歩

大航海時代に外洋航行が盛んになった背景には、航海道具の飛躍的な進歩があった。望遠鏡や羅針盤、海図などの道具が使えるようになったことで、航海の安全性が高まったのだ。

羅針盤(方位磁針)がヨーロッパに伝わり、航海用の計器として実用化されたことで外洋航行が可能になった。地中海貿易で後手を踏んでいたスペイン、ポルトガルは、これを機に新たな交易ルートを確立するため、北アフリカ方面へと船を出した——大航海時代の始まりである。

アフリカ、アジアへの進出ではポルトガルが先行したが、新大陸アメリカにくさびを打ち込むのはスペインが先だった。早い者勝ち、最初に見つけた者勝ちが成り立つ時代である。スペインは南北アメリカに多数の植民地を確保し、巨大な既得権を築き上げた。これを狙ってヨーロッパ諸国による海賊たちが殺到する。こうしてアフリカ、アジア、アメリカといった非ヨーロッパ地域が植民地化。ヨーロッパとの間に交易ルートが開かれたことにより、海賊の活

動地域も拡大していく。お宝のあるところに海賊ありだ。

海賊といわれて思い浮かべるのは、この大航海時代に暴れ回った海賊たちのイメージではないだろうか。海賊をひとことでいうなら、暴力により商船などから金品を奪ったり、あるいは人を掠(さら)う非情かつ無法な武装集団。その一方で、映画や小説に描かれるような、自由で野心に満ち溢れた冒険者としての側面も確かに持っていた。

帆船を駆り、固い絆で結ばれた仲間たちと広大な大海原を行く。その行く手には、さまざまな危険や強敵との戦い、目もくらむような莫大な財宝が待ち受けている。これらは大航海時代の海賊の姿を通俗的に強調したものだ。実際はそれほどきらびやかでなかっただろうが、命知らずの海の男たちの姿が印象的に映るのは当然のことである。

早わかり海賊 ②

海賊は古代から存在する

最初の海賊は古代エジプトの「海の民」だとされる。以後も世界の国々が海軍力を増強する近代に至るまで、海賊たちは世界中で暴れ回った。

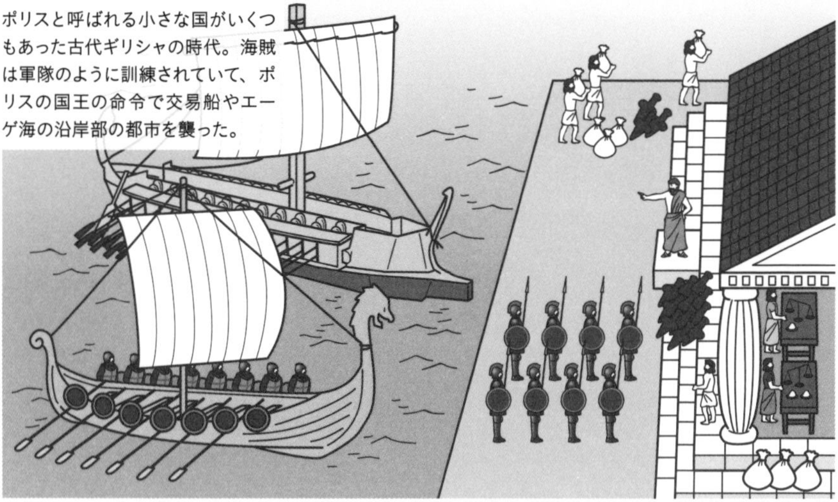

古代ギリシャの海賊

ポリスと呼ばれる小さな国がいくつもあった古代ギリシャの時代。海賊は軍隊のように訓練されていて、ポリスの国王の命令で交易船やエーゲ海の沿岸部の都市を襲った。

暴力を用いて土地や金品を奪い、ときに奴隷にするための住民を掠っていくのが海賊の手口だ。ターゲットとなるのは海辺の町や村、あるいは航行中の商船である。海賊はその名の通りシンプルに海の盗賊、海の無法者であることが多い。しかし例外も多く、王の命令で他国の富を奪ったり、奪われた富を取り返すため仕方なく海賊行為に手を染めたりする者もいた。見え方は同じでも、背景となる事情には多種多様なものがあったのだ。

紀元前1200年頃、古代エジプトの時代に「海の民」といわれる集団が地中海で暴れ回っていた。エーゲ海のクレタ島や地中海東岸を拠点に、地中海沿岸地域の町や村を襲ったこの海の民こそ、最初の海賊といわれている。海の民については不明な点も多いが、時代が下っても海賊の歴史は連綿と続いていく。

古代ギリシャの時代になると都市国家の

海の民

古代エジプトの時代では、海の民と呼ばれる海賊がいたという記録が残っている。彼らの人種はさまざまだが、連合を組んでエジプトを襲ったという。

キリキア海賊

古代ローマ帝国と戦ったキリキア海賊。紀元前35年にローマ帝国との戦いに負け、姿を消した。

マルタ島のコルセア

イスラム教徒と対立していたキリスト教徒の海賊・コルセア。聖ヨハネ騎士団に協力した。

バルバリア海賊

バルバリア海岸に住んでいた海賊。イスラム教徒であり、キリスト教徒を捕まえて奴隷にしていた。

王たちとフェニキア人商人が、互いに海賊行為を行って制海権を争った。さらに古代ローマ時代にも、ローマ帝国の交易船を襲うキリキア海賊の存在があった。巨大帝国を築いた英雄アレキサンダー大王も、地中海の覇者となったローマ帝国も、海の上は版図（勢力範囲）の外。船を巧みに操り自由に動き回る海賊たちには大いに手を焼いたという。

中世にはイスラム教のバルバリア海賊や、これに対抗するキリスト教の十字軍やコルセアが地中海で暴れ回った。大航海時代を経て世界中にヨーロッパの植民地ができると、お宝の匂いに敏感な海賊たちの主戦場も移動していく。大西洋、カリブ海、インド洋と、交易船の行き交う世界の主要航路には必ず獲物を狙う海賊たちの姿があった。このように紀元前に始まった海賊の歴史は、世界の国々が海軍力を強化する19世紀初頭まで続いた。

早わかり海賊 ③

日本の海で暴れ回った海賊衆

アジアの海にも海賊はいた。瀬戸内海の海賊衆は日本を代表する海賊。東シナ海には倭寇が出没し、朝鮮半島や中国大陸沿岸を荒らし回った。

村上海賊
日本の瀬戸内海を牛耳っていた海賊。海に関する豊富な知識と、船を操る高い技術を持っていた。戦国時代では有力大名が協力を仰ぎ、水軍として参戦していた。

世界各地の海に出没した海賊たち。アジアもまた例外ではない。西はヨーロッパとの接点にあるトルコのアナトリア半島から、東は日本列島へと至る広大なアジア。その沿岸では、古くから海賊たちが暴れ回っていた。島国日本を囲む海原と、内海である瀬戸内海。中国大陸の東の海に、東南アジアの海。これらの海域に目をやるとき、そこには日本と中国大陸、あるいは東南アジアと中国大陸の間を行き交う交易船の姿があった。東南アジアから、さらに西へ向かう船もある。こんな美味しい獲物を海賊たちが見逃すはずがない。

海賊稼業がやりやすい地理的条件というものもある。大小さまざまな島が点在し、同時に多くの入り江がある場所だ。海賊たちが拠点を作りやすく、待ち伏せしやすい地形。地中海沿岸やカリブ海と同じように、アジアにもまたそのような場所が多く存在したのだ。

第二次木津川口の戦い

1578年、村上海賊と織田水軍が木津川口で対戦。それまで連戦連勝で無敵を誇っていた村上海賊だったが、織田水軍の巨大な鉄甲船にまるで歯が立たず敗戦を期した。

前期倭寇

蒙古襲来で生き延びた武士たちが中心となって結成した海賊。中国や朝鮮半島などで大暴れしていた。

後期倭寇

後期倭寇の大部分は中国人で、日本人は少数派だった。海賊行為だけでなく密貿易も行っていた。

古代から日本には「海賊」と呼ばれる海上武装集団がいた。平安時代にあたる8世紀末頃から瀬戸内海に現れ、中世になると領海を通る船から通行料を取ったり、拒めば積み荷を奪い取っていった。ほかにも日本各地に海賊は存在しており、付近を航行する船にとって脅威となっていた。半面、船の扱いや水上戦に優れていたことから、戦国の世では海上戦力である水軍として重宝されることになる。しかし、豊臣秀吉や徳川家康の下で天下が平定されると、その過程で海賊たちは日本の海から消えていった。

朝鮮半島や中国大陸沿岸を襲った倭寇は、アジアで最も有名な海賊といえるだろう。このうち13世紀中頃〜15世紀初頭は日本の海賊が中心で、前期倭寇という。一方、15世紀中頃〜16世紀末の後期倭寇は、密貿易を行う中国の貿易商人たちが中心。さらに金品を得るため、中国大陸の沿岸地域を襲撃した。

contents

一章　暮らしの作法

◆ルール

◆暮らし

二章　仕事の作法

◆乗組員

三章　戦いと道具の作法

◆戦い

◆武器

◆近世

五章　東洋海賊の作法

日本やアジアにもいた海賊

◆日本

◆アジア

SPECIAL EDITION

column

一章

暮らしの作法

夢とロマンに溢れた海賊たちの暮らしぶりは、非常に厳しく過酷だった。重労働の生活が続き、掟を破ると島に置き去りにされることも……。さらに、食事事情も不衛生で食糧不足で苦しむこともよくあった。知られざる海賊たちの暮らしを見ていこう。

海賊行為が国に認められ、海軍の大幹部になった者もいた

該当する時代	古代	中世	**大航海時代**	近世

該当する海域	**大西洋**	太平洋	**インド洋**

女王公認のもと海賊行為を繰り返した

海賊のなかには国の高位に取り立てられた者も少なくない。

イギリスの海賊フランシス・ドレイクは、イギリス女王のエリザベスⅠ世から、準貴族として扱われる騎士（ナイト）の称号を授けられ、女王からは「私の海賊」と呼ばれるほど愛された。

1577年、大西洋や太平洋、インド洋などを巡る世界一周の船路のなかで、ドレイクは莫大な量の財宝を掠奪（りゃくだつ）。彼が狙ったのは当時イギリスと関係が悪かったスペインの船であった。そのためドレイクは女王に謁見（えっけん）することを許され、名声を手にしたのだ。

ドレイクが生きていた時代、海賊のなかにはプライベーティアと呼ばれる政府公認の海賊が数多くいた。イギリス政府のみならず、フランスやオランダなどのヨーロッパの国々は、私掠船（しりゃくせん）免状（めんじょう）という許可証を発行し、掠奪行為を公式に認めていた。つまり、海賊といえども国家に忠誠を誓えば立身出世の大チャンスだったのである。

ちなみに、ドレイクは海賊からイギリス艦隊を率いる副指令官に登りつめ、1588年に無敵艦隊と呼ばれたスペインと交戦している。その際、ドレイクは自軍の船に火をつけて敵船にぶつけるという、海賊らしい荒っぽい戦法を使って勝利を収めている。

ところで、海賊と恐れられた国王もいた。1016年、イングランドを征服してイングランド王になったクヌートだ。彼はイングランドだけでなくデンマークとノルウェーをも支配し、「北海帝国」と呼ばれる領土を築いた。また、同じ時代に北ヨーロッパを席巻したヴァイキングという海賊もいた。彼らが暮らしていたスカンジナビア半島は寒い地域のため、農作物が育たず暮らしに不向きだった。そのため、新しい土地を求め海へ乗り出し海賊となったのである（106ページ参照）。

国家公認

海賊行為は国家公認だった時代もあった

海上で掠奪行為を行う海賊たちは、国家の敵というわけではない。時代によっては国家公認の組織でもあった。

国家ぐるみ

1500年代、世界の覇権国家はスペインだった。ヨーロッパの国々は海賊たちを傘下に置き、スペインの船に対する掠奪行為を認めていた。

準軍事組織

香辛料の貿易で莫大な富を築いていたスペイン。ヨーロッパの海賊たちはスペイン商船を襲撃するだけでなく、国家の準軍事組織としてアジアに侵攻し、大量の香辛料を買い付けることもあった。

女王エリザベスⅠ世

イギリスを治めていたエリザベス女王は、海賊を使って巨万の富を得ることに成功した。その見返りとして海賊たちに騎士の称号を授け、その功績を讃えた。騎士の称号を授けられた海賊には、フランシス・ドレイクや、トーマス・キャベンディッシュがいた。

夜8時を過ぎたら必ず消灯！海賊には厳しい掟があった

該当する時代 ▷	古代	中世	**大航海時代**	**近世**

該当する海域 ▷	**大西洋**	太平洋	**インド洋**

規律正しく暮らすための生活のルールも存在した

海賊といえば、法律に縛られず、自由気ままに生きる姿を思い浮かべることだろう。だが、彼らは海賊内の厳しい掟には忠実だった。

代表的な海賊の掟は、「シャッス・パルティ」と呼ばれるものだ。これは海賊船に乗る前に交わす契約のようなもので、乗船前に船長から契約書の形で提示された。従いたくない場合は乗船しなければよく、船員側には掟を拒否する自由もあった。

掟の内容はどういったものだったのだろうか？　ウェールズ生まれで大西洋やカリブ海で活躍した海賊のバーソロミュー・ロバーツの掟は、意外と民主的なものになっていた。

たとえば、重要事項は投票で決め、船に乗っている全員が1票を投じることができた。船長が自分勝手にすべてを決めていたのではないのだ。手に入れた戦利品の分配方法も、掟で決められていた（28ページ参照）。

そのほか、「灯りは夜８時に消すこと。消灯後の飲酒は甲板で行うこと」「ギャンブルは禁止」「女性を船内に連れ込まないこと」「仲間と船上でケンカしてはいけない。戦いは陸に上がり、カトラスとピストルで決着をつけること」など、生活を規律正しくするためのルールも決められていた。

戦闘で負傷した場合の金銭の保障についても書かれていた。戦闘中に逃げ出すことは厳禁で、逃げた者には重い罰則（20～23ページ参照）が待っていた。だが、戦闘を含めて任務中に手足を失ったり、身体に障害が残った場合は、800ポンドが支払われたのだ。

こうした掟は海賊団によって異なり、細かい掟を作ることで組織の秩序を成り立たせていた。映画などでは、海賊は遊ぶことも大好きなように描かれているが、そうしたお楽しみは船を下りた陸で行っていたのだ。

海賊の掟

掟は自由な海賊のイメージとかけ離れていた

自由に過ごしていたイメージの海賊だが、厳しい掟を守り生活していた。

財宝をだまし取ってはいけない

財宝などの戦利品は分配する決まりがあるため、宝石や現金、食器などを盗んだ場合は、掟破りとして置き去り刑となった。

女性を船に連れ込んではいけない

女性を船内に連れ込んだ場合は、船内の秩序が乱れるため死刑となった。そのため、なかには女性に男装をさせて船に連れ込む者もいたという。

賭博をしてはいけない

賭け事による喧嘩やトラブルは船内の秩序が乱れるため、トランプやサイコロで賭博することは禁じられた。

Column

負傷者に対する補償

負傷	補償金と奴隷
右腕	600銀貨／6人
左腕	500銀貨／5人
右足	500銀貨／5人
左足	400銀貨／4人
片目	100銀貨／1人
指1本	100銀貨／1人

バッカニアの海賊であるヘンリー・モーガンの海賊船では負傷者に対する補償があり、障害の重さによって、もらえるお金と奴隷の人数が決められていた。

船に女性を連れ込むと、置き去り刑 or 死刑になった

該当する時代	古代	中世	**大航海時代**	**近世**

該当する海域	**大西洋**	太平洋	**インド洋**

罪を犯した船員だけでなく船長が罰の対象になることも

前項で触れた通り、海賊たちの暮らしのなかにはさまざまなルールが存在した。そして、それを破った場合の罰も掟のなかに定められていた。

掠奪（りゃくだつ）行為が仕事の海賊だが、仲間内での奪い合いは厳禁。前項でも介したバーソロミューの掟のなかでは、金や宝石、金銀の食器をたとえわずかであっても仲間からだまし取った者や、船内に女性を連れ込んだ者は、無人島に置き去りにされた。また、仲間内での掠奪の場合は、犯人の耳と鼻をそぐこともあった。置き去りにするときは、弾1発が入った銃を1丁手渡したが、これは自殺用だった。

死刑も存在した。死刑の対象になるのは、戦闘中に持ち場を離れること、女性を船に連れ込むことだった（戦闘中に持ち場を離れる罪に対しては、死刑でなく無人島への置き去りにされることもあった）。

置き去りや死刑を含めて、海賊の刑罰は残忍だという特徴がある。ナイフでの耳そぎや鼻そぎなどは、麻酔のない時代なのでとてつもない痛みを感じたことだろう。しかも、鼻や耳を失った顔を一生さらすという苦痛も味わうことになったのだ。

むち打ちも定番の刑罰だった。むち打ちでは死なないと思うかもしれないが、不衛生な船内では傷が化膿して肉が腐り始めることもあり、最悪の場合は死んでしまうのだ。

船体から突き出た板の上を歩かせる「板歩き」も海賊ならでは。揺れる船上で海風も強かったので、海に落ちて死んだ者も多かっただろう。

こうした刑罰の対象になるのは、船員だけではなかった。船員たちが反乱を起こして、船長を置き去りにすることもあった。海賊の掟は刑罰も地位を問わなかったので、ある意味、民主的だったといえる。

刑罰（置き去り刑）

孤独感と飢餓で苦しむ置き去り刑

海賊の刑罰として有名なのが、置き去り刑だ。掟を破った者は、無人島に置き去りにされ、ほとんどの者は生き残れなかった。

置き去り刑

無人島に下ろされ、孤独感と食料不足で飢餓に苦しみながら死んでいった。船長も船員たちから無能と判断された場合、置き去り刑となった。

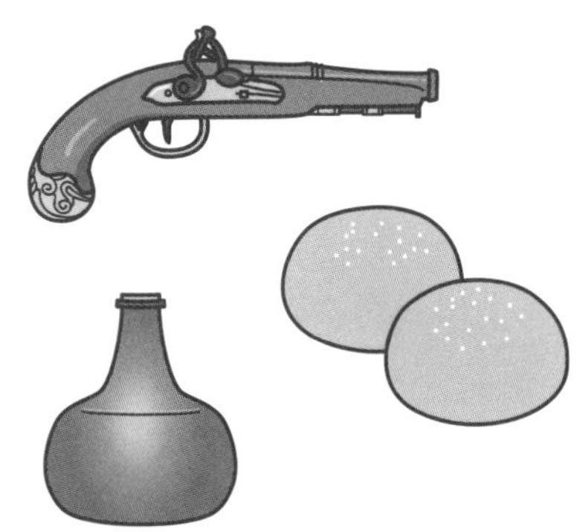

荷物はピストルと食料

船から下りるとき、ピストル1丁と弾1発、そしてわずかな食料が渡された。ピストルは自殺用であり、水は1瓶のみで一日分しかもたなかった。

先住民に襲われる

僻地の島に下ろされ、先住民に殺されることもあった。海賊は船から下りるとすぐに住み家を見つけなければならなかった。

刑罰
そぎ落とし・むち打ち

強烈な苦痛を味わう海賊の刑罰

顔の一部を切り取られたり、むち打ちで激しい痛みを伴う刑罰もあった。死刑ではないが命を落とす海賊もいた。

鼻そぎ・耳そぎ

鼻や耳をそぎ落とされる刑罰。強烈な痛みで苦しむだけではなく、醜い顔を一生さらすことになり、精神的にも負担となる刑罰だった。

九尾の猫むち

ロープを解いて9本に細引きにしたむちで打たれる刑罰。突端には結び目がつき、背中を打たれると皮膚を切り裂き、猫のひっかき傷のようになった。

モーゼの法律

背中を39回むちで打たれる刑罰。キリスト教の預言者であるモーゼが記されている旧約聖書では、人がむち打ちで耐えることのできる数は40回とされた。それ以上は宗教上許されない行為とされ、39回行われた。

恐ろしい刑罰

板歩きは実際には行われていなかった!?

船板を歩き船から落ちるシーンは有名だが、史実上はっきりとした証拠は残っていない。

板歩き

船体から突き出た細い板の上を歩かせて海に落とす刑罰。これは19世紀から20世紀の海賊文学によく見られるが、史実には残っていないという。

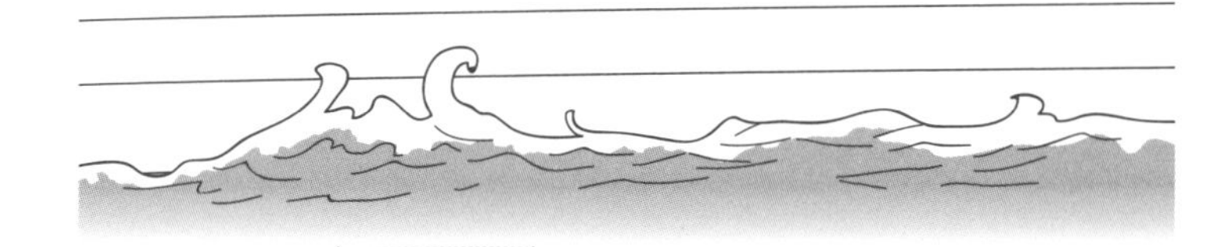

血まみれランニング

受刑者がマスト（帆を張るための柱）の周りを走り、周りの海賊がナイフで突き刺していく刑罰。受刑者は止まったり避けることが許されず、失神するまで続けられたという。

日常生活のほとんどの時間は、船の補修作業に追われていた

該当する時代	古代	中世	大航海時代	近世

該当する海域	大西洋	太平洋	インド洋

帆とロープは補修せずに掠奪(りゃくだつ)して使うこともあった

海賊たちは掠奪行為をしていない日常をのんびり暮らしていたというわけではない。船に乗り込んだときから、山のような仕事をこなさなければならなかったのだ。

海賊船での仕事は、誰がどれを担当するか細かく決められていた。船長は目的や獲物を決めるなど、船の方針を決めていた。船長に次ぐ地位の航海士は、船を操縦するだけでなく、食料や掠奪品の分配なども担当することもあった。甲板長は、甲板の掃除と管理、帆の整備をした。砲手は大砲の掃除や火薬の管理を行い、大工は船を修理した。そのほか、料理長や船医、キャビンボーイ（新入りの少年であらゆる雑用をこなす者）などがいた。

なかでも、船の補修作業にたくさんの時間を取られていたという。船を動かすための必需品の帆は、マストやロープに強く打ちつけられるため、革をあてたりして常に補強しなければならなかった。ロープも傷んだため修理も頻繁に行い、きつく締め直したり、ほどいて別のロープとつなぎ合わせたりした。船員たちは誰でもロープを扱うことができ、船員たち全員で補修作業を行ったという。場合によっては海賊らしく、襲った船から帆とロープを奪って使用した。

ほかにも、風向きに合わせて帆を調整したり、武器や道具の手入れや管理、船に入り込んだ海水を手作業で掻き出す作業も行った。

海賊船の船員たちはこうした重労働に追われていたが、その待遇は海軍の船や商船よりもよい場合があり、海賊船に乗り込むことを希望する船員たちも多かった。海賊船は船長をトップに置いた組織だが、船長を選び直す選挙も行われることもあり、民主的な空気もあった。実力主義に魅力を感じて、海賊を志願した者もいたのである。

日常生活

やることがたくさんある船上での日常生活

海賊たちは戦闘以外の時間、何をしていたのだろうか。主に船の補修作業を行っていた。

進路決め

どこに向かうのか、財宝をどのように手に入れるのか方針を決めるのは船長の仕事だった。海賊船の経営を常に考える必要があった。

帆の補修

帆は船を動かすための重要な部分だったため、修復作業に多くの時間を費やした。帆布は頑丈で硬く、専用の針で破れた帆を縫い合わせた。

雑用仕事

キャビンボーイなどの新入りは、調理や掃除、ゴミ出しなどあらゆる雑用をこなしていた。日常の細かい仕事は山のようにあった。

ロープ結び

戦闘や長期的な航海で傷んだロープを修復した。ロープの端を解いて別のロープとつなぎ合わせたり、締め直したりした。

掠奪(りゃくだつ)品を着飾るのが、海賊のおしゃれスタイル

該当する時代	古代	中世	大航海時代	近世

該当する海域	大西洋	太平洋	インド洋

船上での普段の作業のときは機能的で地味な格好だった

フィクションで描かれる海賊は、三角帽子、丈が長い燕尾服(えんびふく)などを身につけていることが多い。本物の海賊も、こうしたファッションを愛用していたのだろうか？

海賊たちが着たのは、当時のヨーロッパの最新スタイルの服だったが、どれも掠奪したものだった。三角帽子は18世紀の欧州で流行したもので、帽子を大事にする海賊が多かったという。絹やサテンでできたシャツや高価な燕尾服を着て、その上から派手なデザインのコートを羽織ったりもした。戦利品の指輪や宝石のペンダントなども身につけ、相手に威厳を与えるようなファッションだ。もちろん、自分用に仕立てたものではないため、サイズも合わず、コーディネートもめちゃくちゃだった。だが、それが海賊ならではの格好よさを生んでいた。海賊たちはこうした服装に、ピストルやカトラス、斧などの武器をベルトや吊革にさしていたのである。

ただし、船の上では地味な格好をしていたと考えられている。海水で滑りやすくなった甲板上では、作業のしやすさを優先して船長も船員もキャンバス地のズボンにシャツを着ていた。港に着き陸に上がり、酒場や賭博場、売春宿に繰り出すときに、派手な服装でおしゃれを楽しんだのだ。

海賊のなかにはおしゃれで知られた者も存在する。キャラコ・ジャックという異名も持つジョン・ラカムだ。キャラコとはインド産の綿布のことで、ラカムは当時出荷されたばかりの新素材を好んだことから、こう呼ばれた。ラカムの海賊旗は「交差するカトラスの上にドクロ」というデザインで、現代でもよく知られている。後世にも通じるセンスを持っていただけあって、そのファッションセンスもずば抜けて優れていた。

流行りものが好きだった海賊たち

海賊たちは掠奪した服や財宝などを身につけていた。サイズの合わない不格好さすら格好いいとされていた。

手に入れたお宝は全員に分配するのが規則

該当する時代	古代	中世	大航海時代	近世

該当する海域	大西洋	太平洋	インド洋

今の価値で十数億円以上の富を手に入れることもあった

なぜ海賊になるのか。それは、掠奪(りゃくだつ)で莫大な金額とお宝を手に入れられるためだ。イギリスの私掠船(しりゃくせん)の海賊リチャード・グレンヴィルは、1585年にスペインのサンタマリア号から5万ポンドを掠奪。カリブ海で活躍したフランスの海賊フランソワ・ロロノアは、1667年までに6万5000ポンドのお宝を手にした。現代の金額にすると、グレンヴィルもロロノアも十数億円以上の富を手に入れたのだ。

グレンヴィルが手に入れた掠奪品のリストのなかには、ビール（大樽16）、塩（大樽10）、豚肉（大樽10）、たばこ（1ダース）、はさみ（20ダース）、針（3000本）などもあった。現代の商店で簡単に手に入るものばかりで、金銀宝石などのお宝というイメージからは遠いが、どれも重要な商材。海賊に友好的な植民地の総督に売り払うこともあった。

こうして奪った戦利品は、船長が独占することなく、全員に分配された。時代や海賊船の掟によって割合に違いはあるが、一般の船員が1人分だとすると、船長と航海士が2人分、砲手は1.5人分、大工は0.75人分程度だった。

掠奪品のなかから、戦闘での負傷者への補償も支払われた（19ページ参照）。体の部位やケガの重さにより補償額が決められていたのである。ほかにも、掠奪するターゲットの船を発見した者には、ボーナスとして分配が上乗せされるケースもあった。

また、分配するまでの流れも決められていた。まずは、船長が自分の取り分を決定し、その次に船大工の取り分と船を修理するための費用を確定。そして、医者の取り分と薬に必要な金額を確定し、その後戦闘中にケガをした場合の補償額を決定した。そして最後に一般の船員たちへ分配するという流れになる。

戦利品の分配

戦利品は分配したり、隠したりした

掠奪した戦利品は船員一人ひとりに分配された。財宝を陸に隠すこともあり、さまざまな戦利品の扱い方をしていた。

戦利品の分配

戦利品の分配量は役職によって決められていた。分配するのが難しい戦利品もあり、あるときは、全員に42個の小粒ダイヤが分配されたが、ひとりだけ大粒のダイヤが支給された。不満を抱いたその海賊はダイヤを砕いてしまったという。

宝隠し

有名船長の多くが、カリブの島々のどこかに巨額の財宝を隠したといわれている。作り話ともされてきたが、この話題は今日でも多くの人を賑わせている。

海賊FILE

宝の地図

海賊たちが財宝を隠したとした場所が記されている地図。多くの人々がこの地図を求めたが、宝の地図の存在は幻とされている。

売れば大金になるものを狙った

海賊たちが主に狙った財宝は、お金のほかに香辛料などの大金に換わるものが多かった。

金貨・銀貨

特にスペインの金貨・銀貨は、通貨価値が高かったため海賊たちにとても好まれた。銀貨は、小さくカットして小銭としても使用された。

砂金

大航海時代、砂金を求めて多くの海賊がカリブ海に集結した。また、砂金を集めていたスペイン船も海賊たちの格好の標的となった。

香辛料

こしょうやクローブ、ナツメグなどの香辛料は新大陸でしか手に入れることができなかったため、激しい争奪戦を繰り広げた。

敵の船

海賊にとって一番の戦利品は、敵が乗っている船だった。敵の船員は仲間に引き入れるか、仲間になることを拒めば海に突き落としたり殺したりした。

宝石

ダイヤモンドやサファイアなどの宝石を商船から掠奪した。戦利品は分配するのがルールだが、乗客の私物であれば掠奪してもいいと認めている海賊船が多かった。

戦利品（生活必需品）

生活必需品も戦利品に含まれた

海賊たちは価値のある財宝ばかりを手にしたわけではない。日常に役立つものや食料なども大いに喜んだ。

武器

戦闘の多い海賊にとって、実戦で使用するピストルや銃弾、剣などの武器は貴重品だった。上品な装飾で実用できない短剣も、高値で売れるため掠奪した。

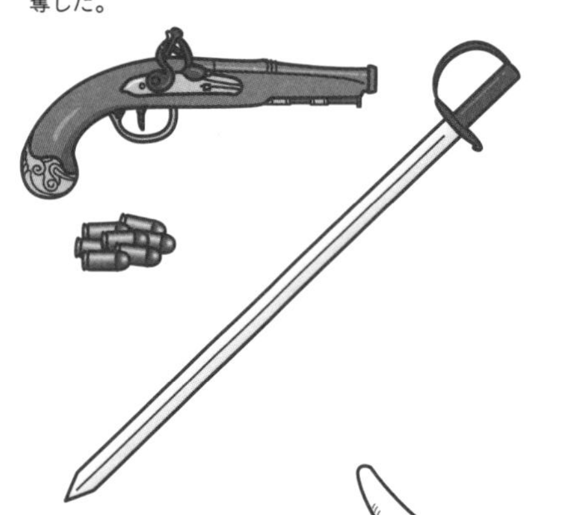

食料

生きるために不可欠な食料は、格好の標的となった。特にワインやビールなどの酒は貴重であり、仲間たちと分け合って飲んだという。

象牙

奴隷商人たちは象牙を商品として扱った。そのため値打ちが高くなり、海賊たちの標的になった。

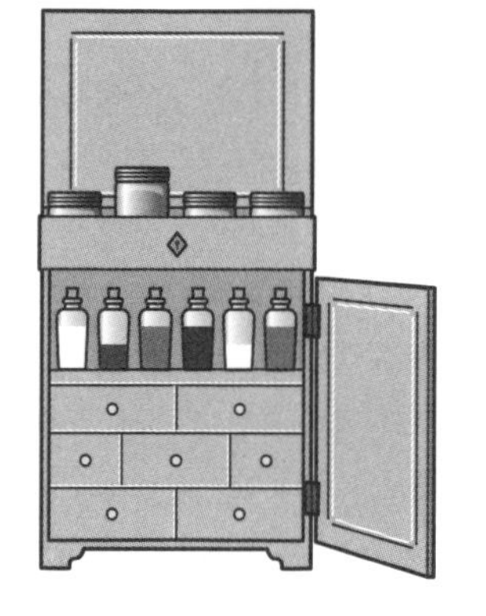

薬箱

不衛生な船の上では薬箱のなかにある医薬品は常に不足していて貴重だった。特に海賊たちのほとんどが吹き出物に悩んでいて、重宝したという。

嗅ぎたばこ入れ

たばこの葉を鼻腔から吸い込み、香りを楽しむ嗅ぎたばこの葉の容器。主に富裕層の人たちが持っていたもので、海賊たちにも人気だった。

脱走した奴隷が海賊になって自由を獲得することもあった

該当する時代	古代	中世	大航海時代	近世

該当する海域	大西洋	太平洋	インド洋

奴隷船をターゲットにして奪った奴隷を売り払う海賊

海賊はアメリカ大陸へ向かう船も狙った。船団を狙った場合、執拗に付け回して、逃げ遅れて単独航海になった船を獲物にした。

ターゲットのなかには、奴隷貿易のために奴隷を運ぶ船もあった。奴隷貿易は、15世紀から19世紀の前半まで、アフリカ大陸の人々を奴隷として売りさばくことで行われていた。奴隷貿易は最初は小規模なものだったが、17〜18世紀には大きな商売となり奴隷商人に莫大な利益をもたらしていた。

イギリス人の海賊ジョン・ホーキンスは、1562年にカリブ海でポルトガルの奴隷船を襲うと、カリブ海の諸国で奴隷を売りさばいた。つまり、海賊にして奴隷商人になったのだ。ホーキンスはその後の航海でも、奴隷船を襲撃している。

有名な海賊バーソロミュー・ロバーツも、もともとはイギリスの奴隷船の航海士だった。カリブ海の西インド諸島に向かう船路の途中で、ロバーツはイギリスの海賊に襲われた。奴隷船を狙う海賊は港を襲うことがあり、ロバーツも港で奴隷たちを船に積み込んでいる際に襲われたのだ。海賊に捕らえられたロバーツは、そのまま海賊の仲間に加わって海賊としての人生をスタートさせた。

奴隷は海賊に売り飛ばされていただけではない。奴隷から海賊に転身する者もいた。カリブ海で活動する海賊船の船長は、脱走奴隷を歓迎した。逃げ出して海賊の仲間になる奴隷も数多くいて、乗員の約3分の1が脱走奴隷という船まであったぐらいだ。

前述のロバーツは、安い給料ときつい船員の仕事が嫌で、自由で儲かる海賊という仕事を選んだ。自由がない奴隷という立場であれば、より一層、海賊になって自由が得られることに魅力を感じたはずだ。

人ではなく荷物として扱われた奴隷たち

多くのアフリカ人たちは奴隷として輸出され、奴隷貿易が確立していた。奴隷船内は過酷な環境だった。

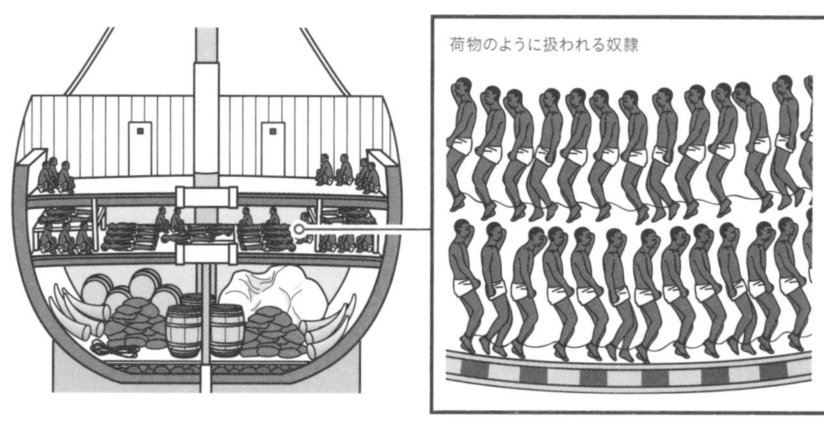

奴隷船

奴隷は人として扱われず、荷物として船倉にぎっしりと詰め込まれた。衛生面の管理が何もされていなかったため、病気が広がりやすく多くの奴隷が死んでいった。

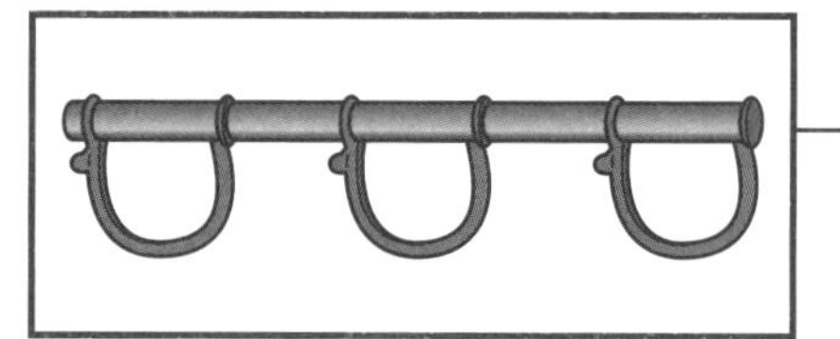

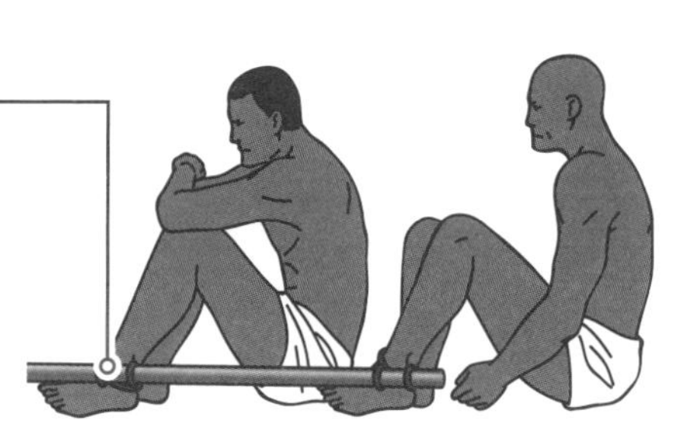

足枷（あしかせ）

奴隷が反抗するのを防ぐために、足枷を付けられていた。足枷は船倉の床に鉄の棒で固定され、鉄の棒には数人もの奴隷がつながれていた。

港町では羽目を外して、酒、女、ギャンブルに走った

該当する時代	古代	中世	大航海時代	近世

該当する海域	大西洋	太平洋	インド洋

船では掟で禁じられていた遊びでストレスを発散！

ただでさえ重労働が続いてストレスが溜まっている海賊たち。航海を終えて港町に着いたときは、思いっきり遊んで暴れてストレスを発散した。

掠奪（りゃくだつ）によって金を稼いだ海賊たちは、船で禁じられたギャンブルを楽しんだ（なお、船内で禁止されていたのは、仲間内で争いが起きるのを防ぐためだ）。海賊たちが牧場をひとつ買えるほどの大金を一晩の博打で使い果たしたという逸話まで残されている。

海賊たちは酒場や売春宿でも散財した。海賊の酒といえばラム酒というイメージもあるが、海賊はビールもワインもラム酒も浴びるほど飲んだ。

ほかにも、博打や酒、女性以外では、火を使うパイプでのたばこも陸に上がると思う存分吸った。火災予防のため船では禁じられていて、船に乗っている間は噛みたばこで我慢していたのである。禁煙が解禁されたあとの一服は格別だったことだろう。

このように、陸では景気よく金を使うので、海賊たちは多くの港町で歓迎された。ジャマイカの港ポート・ロイヤルでは、イギリスから来た植民地総督も海賊たちを歓迎するほどで、海賊たちがスペインから島を守ってくれることを期待したのだ。海賊たちに愛されたポート・ロイヤルは「世界で最も豊かで最もひどい町」と呼ばれた。

もちろん、海賊を歓迎する港ばかりではなかった。港に入れない場合は、軍に見つからないように入り江などに隠れ、宴会を開くのだった。

また、港に戻ってするのは、飲む打つ買うの遊びだけではなかった。次の航海に備えて、武器や食料などを調達し、船の修理も行う必要があった。特に、船底には海藻やフジツボがこびりついていたため、船を浅瀬に引き揚げてから傾けて、それらを取り除く作業などを行った。

陸地に上がると酒浸りに！

海賊たちは陸に上がると、掠奪した戦利品をお金に換えて、酒を飲みまくり存分に楽しんだ。

酒盛り

海賊たちは掠奪の成功を祝い、宴を開いて盛大に酒盛りをした。港町のほかに、お気に入りの隠れ場所で夜通し酒盛りをすることもあった。

ブラック・ジャック

海賊たちが愛用していた、ピッチを塗った革製のジョッキ。彼らは酒場でこのジョッキでビールやワインをたらふく飲んでいた。

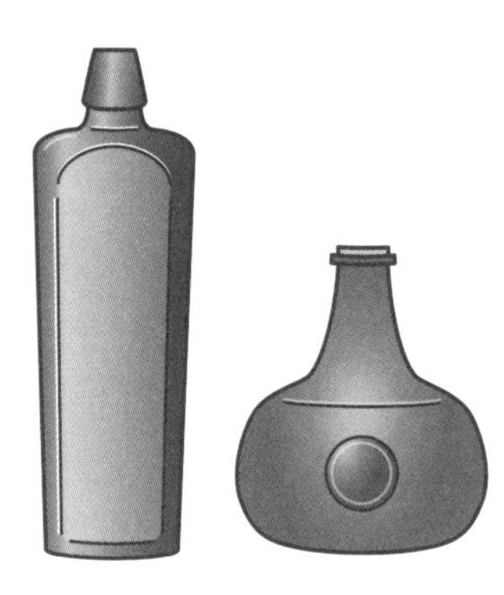

ラム酒

海賊たちがよく飲んでいたお酒。壊血病（かいけつびょう）の特効薬と信じられ、港町の酒場には必ずラム酒が置かれていたという。

陸での楽しみ

女や賭博で羽目を外す海賊たち

陸地では、船のなかでは制限されていたことを思いっきり楽しみ、ストレスを解消させた。

女遊び

海賊たちは女性を求め、昼夜区別なく宴を催した。戦利品に目がくらんだ女たちが大勢いて、海賊たちにすり寄った。

戦利品をすべて使い果たす

掠奪（りゃくだつ）した戦利品は、すべて使い果たした。一夜で3000ポンドほどの大金を使い、翌朝はヨレヨレの服装で寝ている海賊もいたという。

たばこ

上陸後のパイプたばこの一服は贅沢なひとときだった。船内では火災の恐れがあるため、パイプを喫煙することができず、噛みたばこで我慢していた。

賭博

上陸すると賭博を大いに楽しんだが、なかには賭博のカモになり、掠奪品を失ってしまう海賊もいたという。

出航準備

酒盛りの前にしなければならないこと

上陸して酒盛りをする前に、次の航海に備えて船の修理をしなければならなかった。

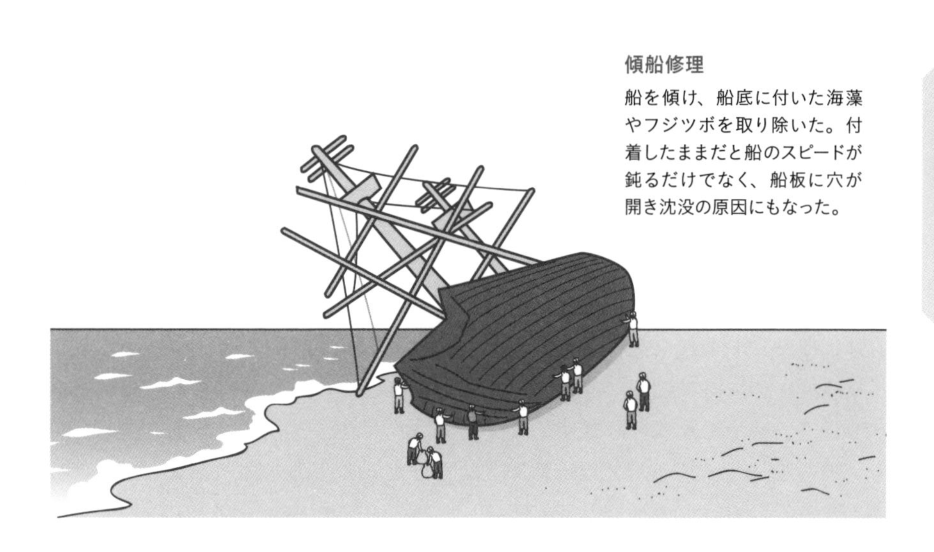

傾船修理

船を傾け、船底に付いた海藻やフジツボを取り除いた。付着したままだと船のスピードが鈍るだけでなく、船板に穴が開き沈没の原因にもなった。

食料の積み込み

次の航海に備え食料の準備をした。肉や水を樽に積め込んだり、羊やニワトリなどの家畜を捕まえたりした。

隠れ場所

船を修理している間は無防備になるため、軍艦が入って来られないような入り江などの隠れ場所が必要だった。そこで休憩したり酒を飲んだりした。

肉不足解消のため ウミガメを狩って食べた

該当する時代	古代	中世	大航海時代	近世

該当する海域	大西洋	太平洋	インド洋

捕るのも簡単なウミガメは海賊たちの大好物だった

長い航海では、陸での暮らしと違って食べられるものが限られてくる。

海賊を含めて船乗りたちの主食になったのが、ビスケットだ。長期間保存ができるように水と小麦粉だけを材料にして硬く焼いたもので、「ハード・タック」と呼ばれた。岩のように硬かったのでワインやビールに浸して食べていた。日持ちしたものの、虫がすぐたかってしまい、虫まで食べてしまうこともあったという。

牛肉や豚肉は保存のために、塩漬けや燻製にしたほか、ニワトリを船内で飼って、その卵や肉を食べることもあった。それ以外の動物性タンパク質としては魚やキジバト、ウミガメを食べることもあった。陸に上がったウミガメは捕まえるのも簡単で、生きたまま船倉に入れておくことも可能だった。ウミガメは肉だけでなく、その卵も海賊たちの好物だった。

船上生活ではすぐに水が腐るため、飲料水代わりにビールやワインなどのアルコール類を飲んだ。おかげで酔っ払いすぎて軍に捕まった海賊ジャック・ラカムのような例も見られた。

このように、海賊たちの食生活は充実しているとはまったくいえなかったが、それでも食べるものがある間はまだよかった。問題は食料不足に陥ったときだ。食料の貯蔵がなくなり、ウミガメや魚、鳥なども捕れなかった場合、海賊たちはどうしたのか？

飢えた海賊たちは、船内のネズミを捕まえて食べたり、自分たちの革袋や刀の鞘（さや）、手袋、靴などの革を食べることもあったという。革は細かく切って水に浸し、叩いたり煮たりして柔らかくしてから無理やり飲み込んだ。

さらに追い詰められた場合、人肉を食べることすらあったという。死んだ仲間や黒人奴隷だけでなく、仲間割れした船員も犠牲になった。

なるべく長期保存できるものを食べていた

船に持ち込んだ食料は長期保存ができるもので、それでも腐ってしまうものも多かった。

ビール・ワイン

ビールやワインなどの酒類はアルコールが含まれているため、長期保存が可能だった。水はすぐに腐ってしまうため、飲料水として酒を飲んでいた。

牛肉・豚肉

肉を冷蔵する施設は当時はなかったため、日持ちするよう塩漬けにしたものや、乾燥させた肉である干し肉を食べていた。

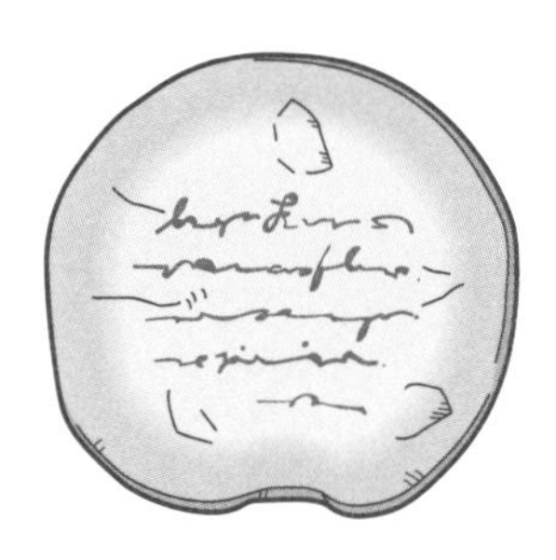

ハード・タック

水と小麦粉で作った長期保存できるビスケットで、海賊たちの主食だった。とても硬く、パサパサしていたため、ビールやワインに浸して食べていた。

ニワトリ・鶏卵

肉や卵を食用にするため、船内でニワトリを飼う海賊が多く存在した。海賊たちは卵のことを「カックル・フルーツ」と呼んだ。

海賊たちは狩りをして食料を調達していた

積み込んだ食料はやがて尽きる。そのため海岸に下りて、ウミガメなどの動物を狩って食料を補っていた。

ウミガメ

肉不足の解消のため、陸上にいるウミガメを狩った。ウミガメを裏返して動けなくし、あとで都合のいいタイミングで捕獲した。

待て
待て～

キジバト

キジバトなどをよく捕獲した。孤島にいる動物は人間を恐れず、手掴みで捕まえることができたという。

マグロ

カリブ海周辺には、豊富な種類の魚が泳ぎ回っていたため、海賊たちはよくマグロを釣って食べていた。

大物だ～

食べられそうなものは何でも食べた

狩りすらもままならないときは、飢えを凌ぐためにあらゆる工夫をして何でも食べていた。

ネズミ

海賊の船内にはよくネズミが出没した。海賊たちは船内に住み着いたネズミを捕まえて食料にした。

革袋

革袋や鞄を食べた海賊もいた。革袋を細かく刻み、水に浸して石で叩いて柔らかくしたあと火であぶる。そして大量の水で飲み込んだ。

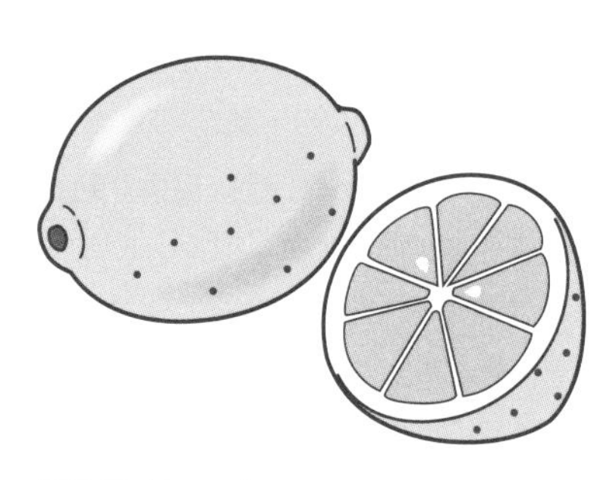

予防薬（レモン）

海賊たちは粗末な生活と長い航海のせいで壊血病になりやすかった。予防としてビタミンCを摂取するために、レモンやライムを食べるようになった。

海賊FILE

海賊のカクテル「グロッグ」

海賊たちは壊血病の予防のため、ラム酒にレモンのしぼり汁や砂糖を入れて飲んでいた。このお酒をグロッグという。アルコール度数が高く、飲むとグロッキーになるため、この名前がつけられた。

人殺しもいとわない悪党なのに、幽霊や化け物を本気で信じていた

該当する時代	古代	中世	大航海時代	近世

該当する海域	大西洋	太平洋	インド洋

巨大なクラーケン、魔性の人魚、見ると命を落とす幽霊船……

大自然を相手に危険な旅に出る船乗りたちは迷信深く、海賊たちも例外ではなかった。

「船に左足から乗ると悪いことが起きる」「乗船前に海に唾を吐くと、いいことが起きる」といったジンクスを信じただけでなく、怪物や幽霊などの超自然的存在も恐れた。

海の怪物の代表が、クラーケンだ。もともとは北欧の伝承のなかに登場した巨大なモンスターである。全長100mほどのタコやイカのような姿をしていて、その長い触手で船を海の底に引きずり込むのだ。

巨大な怪物としては、大きなウミヘビのようなシーサーペント、サメとタコを合わせたようなカリブ海のルスカなども知られている。

海賊たちは人魚も恐れた。童話やアニメに出てくる美しく優しい人魚を思い浮かべるかもしれないが、人魚は魔性の怪物でもあった。ドイツのライン川のローレライのように、美しい声で人々を誘惑して水中に沈めるという伝説があったのだ。カリブ海でも、ローレライに似たアイカイアという人魚の存在が信じられていた。

幽霊たちが乗る幽霊船の伝説も、世界中で語り継がれた。そのなかで一番有名なのが「フライング・ダッチマン(さまよえるオランダ人)」だ。さまざまなバージョンの伝説が残っているが、呪いをかけられたオランダ人船長の幽霊が乗る船が海をさまよっているという点は共通している。この船を目撃した者は死んだり、怪奇現象が起きると考えられていた。

幽霊船としては、爆発して沈没したあと、燃え盛る火の玉のような状態で復活したヤング・ティーザー号や、太平洋のファニング島の近辺に9年に一度だけ出現する幽霊船といった伝説も語り継がれて恐れられていた。

海の怪物

海賊たちが恐れた海の怪物

イカやタコ、ヘビのような怪物や、海賊たちを惑わす人魚など、海にはさまざまな恐ろしい存在がいた。

クラーケン

イカやタコのような形をした体長100mもある巨大な怪物。船を沈めると伝えられる。その正体はダイオウイカともいわれている。

人魚

ローレライという人魚は、美しい歌声で人間の男を誘い出し、川に引きずり込むと伝えられている。

シーサーペント

海蛇のような形をした巨大な怪物。船を襲い、船員を食べてしまうと恐れられていた。現代でも目撃例があるが、未だ正体は不明だ。

海賊たちが恐れ、語り継がれる数々の伝説

幽霊船などの怖い話や行ってはいけない場所なども数多く存在する。

フライング・ダッチマン

フライング・ダッチマンはさまよえるオランダ人の意味。幽霊船に乗って永遠に海をさまよっていると伝えられている。この船と出会った船は、機械が故障したり食べ物が腐ってしまうなど怪奇現象が起きるという。

白い老人

南米のホーン岬に現れる、白服をまとい杖をついた老人。航行中に背後から迫ってくる大きな波の間から現れ、老人を見てしまうと船が沈むという伝説がある。

船の墓場「サルガッソー」

北大西洋に「魔の海」として知られる海域がある。そこに入ると船が動かなくなり、船に閉じ込められ多くの海賊が命を落とした。夜になると海から触手が伸びて船を取り込んでしまうという噂もある。

吉兆

船に乗るときは唾を吐くと縁起がよい!?

海賊たちは船に乗るときのジンクスや、縁起がよいとされた動物や現象などもあった。

船に乗るときのしきたり

船に乗るとき、左足から入ると縁起が悪いと信じられていた。くしゃみをするとさらに悪かったという。逆に船に乗るとき、海に唾を吐くと縁起がよかった。

セントエルモの火

マストの先端が燃えるように光る現象。現在では雷などによる放電現象として知られているが、当時の海賊たちはこれを吉兆だと考えていた。

幸運を呼ぶ動物

イルカは海から幸運を運んでくる使者という言い伝えがあった。また、ネコやツバメも幸運の象徴だった。うさぎを乗せている船も多かったという。

海賊船は女人禁制だったので女海賊は男装していた

該当する時代	古代	中世	大航海時代	近世

該当する海域	大西洋	太平洋	インド洋

迷信とトラブルを恐れて女性は乗船が許されなかった

18〜19ページで紹介したように、船に女性を乗せることを禁止した海賊船は多かった。これは、女性を巡って仲間内でケンカなどのトラブルが起きるのを防ぐためのルールだった。そして、「女性を乗せると船の女神が嫉妬して、船を沈めてしまう」という迷信を信じていた海賊も多かった。

だが、メアリー・リードやアン・ボニーのように、海賊として活躍した女性たちもいる。彼女らをはじめとした女海賊は男装し、男たちに負けない活躍を見せていた。

もともとは軍人だった経験もあるリードは、西インド諸島行きの船に乗っていた。だが、海賊によって船が捕獲されてしまう。その海賊が、カリブ海で活躍していたジャック・ラカムだった。ラカムの船にはボニーもいて、彼女もリードと同じようにラカムに船を襲われて海賊の一員になった。そして、ボニーはラカムの愛人となった。ふたりが親友になった逸話も残されている。ボニーは男装して美少年に見えたリードに恋をして誘惑。リードは自分が女であることを明かした結果、意気投合して親友になったという。

リードとボニーは、ラカム以外の船員には自分が女であることを明かさず、男装で過ごした。だだし、これには諸説あり、彼女らが男装していたのは戦いのときだけだったという説もある。のちにふたりが捕まって裁判にかけられるときまで女性であることを隠していたのだ。

いずれにせよ、リードは船長のラカム以上に勇敢で、臆病な仲間は撃ち殺すほどの恐ろしい海賊だった。

リードとボニー以外では、19世紀に大船団の海賊を率いた中国の鄭(チェン)夫人、あまりの美しさから父に閉じ込められたという伝説もある女海賊船船長のアルヴィルダなどがいる。

男海賊よりも勇敢でたくましい女海賊

海賊船には女は乗ってはいけないというルールがあったが、男装して海賊になった女海賊もいた。

女海賊は男装していた

男の稼業である海賊に女がなるには、男装をして、武器で戦い、酒が飲めなければならなかった。勇敢に戦い、臆病な仲間を射殺する女海賊もいた。

力仕事もできて当たり前

戦いだけでなく、船内の力仕事も同等にこなさなければならなかった。重い斧を腰に差し、道具や武器として扱った。

処刑後は鉄枠に入れられ、肉が朽ちるまで数年間放置された

該当する時代	古代	中世	大航海時代	近世

該当する海域	大西洋	太平洋	インド洋

吊るされてもがく様子はまるでダンスのようだった

海で暴れ回った海賊が、悪運尽きて海軍などに捕まってしまった場合、待っているのは過酷な運命だった。

まず、逃走できないように手枷と足枷をつけられた。7kgもの手枷をつけられ、狭い牢獄に1年間押し込められた海賊ウィリアム・キッドは裁判に出廷したときにはろくに抗弁できないほど体調を崩していたという。

裁判で有罪になれば、死刑。処刑方法は絞首刑だった。海賊たちは絞首刑にされることを「ヘンペン・ジグを踊る」と呼んだ。ヘンペンは麻のことで、ジグはテンポの速いダンスのこと。麻製のロープで吊るされてバタバタともがく様子をダンスにたとえたのだ。

海賊たちの処刑は見物人のいる処刑場で行われた。海賊たちへの見せしめの意味が込められたのである。しかも、見せしめは処刑後も続き、死体は縁者が勝手に引き下ろして埋葬しないようギベット枠という鉄枠に入れて吊るされた。

処刑されたウィリアム・キッドの死体は、潮が満ちる場所で潮に3回浸るまで放置された。その上で、すぐに腐敗しないようにタールを塗ってからギベット枠に入れられて、船が行き来するテムズ川の河口に数年間も吊るされたのだ。肉が朽ちると、きつく締めたギベット枠によって頭蓋骨だけがそのまま残ったという。

ウィリアム・キッドだけでなく、ジャック・ラカムなどの有名海賊も捕まって処刑されているが、46～47ページで紹介した女海賊のメアリー・リードとアン・ボニーは捕まったものの、死刑を免れている。これは、裁判で自分たちは妊娠していると主張したからだ。死刑を免れた者は、監獄船に収容された。そこは劣悪な環境で死者も多く、死刑にならなくて幸運だったとは決していえなかった……。

処刑後も残酷だった海賊たちへの刑罰

海賊たちは逮捕され有罪になると、絞首刑となった。死体を数年間も吊るされることもあった。

絞首刑

処刑は絞首刑で行われることが多かった。絞首台は、台が壊れて執行ミスにならないよう一回ごとに作られた。海賊の最後の言葉がまとめられた書籍が出版されることもあった。

監獄船

軍に捕らえられた海賊は監獄船に収監された。監獄船の環境は酷く、不衛生で腐ったパンや肉を支給されていたという。

見せしめ

処刑後も死体を「ギベット枠」という鉄の鎖で固定し、ほかの海賊たちの見せしめとして数年間吊るされる海賊もいた。鉄枠は処刑される前に採寸され、肉が朽ちたあとも骨が残るほどきつく締めた。

column ①

本当に実在した!?
海賊たちの理想郷

すべての人間が平等だった自由の国を作った

18世紀に海賊の楽園と呼ばれた「リバタリア」という国家があった。リバタリアは、自由・平等・友愛の理念に基づき、「すべての人間は生まれながらにして自由であり、生きる糧を得る権利は呼吸をすることと同様に自然なこと」を標榜した。建国者であるミソンは、奴隷船を襲っては奴隷を助け出し、仲間にしたという。指導者も、生まれや肌の色などにとらわれることなく、最も有能とされる人物が抜擢された。奴隷制度がなければ、身分の違いもなかったリバタリアは、海賊たちにとってはまさに楽園。そんな夢のような国をより豊かにするために、彼らは海賊行為を続けていたのだ。しかしリバタリアについてはチャールズ・ジョンソンの著者『イギリス海賊史』にのみ登場していることから、作り話ともされている。

現代にはびこる海賊たちの凶悪事件簿

海賊は遠い過去の話ではなく、現在でも海洋には多くの海賊が存在している。タンカーや商船を襲って、掠奪(りゃくだつ)や巨額の身代金の要求など、悪行を重ねている現実があるのだ。本企画では、近年に世間を騒がせた海賊たちによる恐ろしい事件の数々を紹介する。

CASE ① タグボート「韋駄天(いだてん)」襲撃事件

2005年3月14日@マラッカ海峡

日本のタグボート「韋駄天」が、マラッカ海峡でロケット弾などの重火器を武装したインドネシアの海賊に襲撃された事件。船長、機関長、及び三等機関士が拉致されたものの、後日無傷で解放された。人質になった３人は解放されるまで、海賊たちから虐待されることはなく、一緒に食事をしたり比較的安全に過ごしたという。

CASE ② テンユウ号事件

1998年9月@マラッカ海峡

インドネシアのクアラタンジュン港を出発したテンユウ号が、出発から程なくして消息を絶った事件。事故にしては不自然な点が多かったため、海賊による襲撃ではないかといわれている。船は中国で発見されたが、乗組員は行方不明のままだ。

CASE ③ アロンドラ・レインボー号事件

1999年10月@マラッカ海峡

テンユウ号の事件の翌年、同じ場所でアロンドラ・レインボー号が消息を絶つ。乗組員のなかには日本人も2名いたが、彼らはタイの漁船に救助されている。この事件では、襲撃犯や指令犯などの主犯メンバーはほとんど逃亡した。

CASE ④ マークス・アラバマ号事件

2009年4月@ソマリア近海

アメリカのマークス・アラバマ号が海賊に乗っ取られた事件。船長が人質になったものの、海軍特殊部隊 SEALS の手によって無事救出。海賊たちは射殺され、事件は幕引きとなった。ちなみに映画化もされている。

CASE ⑤ シーボン・スピリット号事件

2005年11月@ソマリア近海

アメリカの豪華客船であるシーボン・スピリット号が、海賊に襲撃された事件。海賊たちは客船に乗り移ろうとしたが、客船は LRAD という大音響装置で海賊を撃退。乗員・乗客合わせて 210 名が乗船していたが、幸いにも襲撃のみで拘束された人はいなかった。

CASE ⑥ チュー・ソン号シージャック事件

1998年11月@上海沖

貨物船のチュー・ソン号がジャックされ、船員 23 名が殺害された上に遺体を海に投げ捨てられた。最も残酷な海賊事件とされ、残りの乗組員の消息も不明のまま。海賊たちは逮捕され、うち 13 名に死刑判決が下されている。

CASE ⑦

ケミカルタンカー乗っ取り事件

2007年10月@ソマリア沖

日本の海運会社が運用するケミカルタンカー「ゴールデン・ノリ」が海賊に乗っ取られた事件。同乗していた23名の乗組員と、タンカーの安全を最優先した上で、海賊の投降を促すべく米海軍が包囲。その後、無事解放された。

CASE ⑧

フランスのタンカー爆発炎上事件

2002年10月6日@アデン湾

フランス籍のタンカー、ランブールが突如爆発・炎上した事件。当初、爆発・炎上の原因は不明とされていたが、現在ではイスラム過激派のテロリストによる犯行だといわれており、積まれていた燃料の半分が海へと流れた。

CASE ⑨　シーシェパードによる被害

1977年～@世界各国

自称・環境保護団体のシーシェパード。彼らは日本を含む世界各国で、捕鯨船に対する体当たりや、銃撃、爆沈などの活動を繰り返している。抗議の仕方の過激さから、日本の捕鯨関係者からは「現代の海賊」「エコテロリスト」とも呼ばれている。

二章

仕事の作法

海賊たちはそれぞれ役割を持ち、仕事を行っていた。船の方針を決めた船長や船を動かした航海士、大砲を撃つ砲手、船を修理する船大工など、皆が協力し合って生活をしていたのである。彼らはどんな仕事をしていたのか、実態に迫る。

海賊船の船長は社長のような立場だった

該当する時代	古代	中世	**大航海時代**	近世

該当する海域	**大西洋**	太平洋	**インド洋**

自分のお金で船を買って船長になることも可能

乗組員といえば、真っ先に思い浮かぶのは船のリーダーである船長だ。海賊といえども、リーダーの資質は一般社会とほとんど変わらない。知力、決断力、判断力、行動力、戦闘力を持ち、リーダーシップを発揮できることが必要とされた。無法者たちを束ねる船長は、強力な指揮官でなければ務まらないということだ。

しかし、強力な指揮官とはいえ暴君であってはならないし、乗組員から信頼される人物のほうがいい。そんな人物を選ぶには、選挙が一番いい方法だろう。実際、海賊時代に船長は選挙で選ばれることもあったというから驚きだ。その際、乗組員には格差なく全員に1票が与えられていた。海賊船は民主的な集団で、世界のどこよりも早く、民主主義選挙を行っていたという評価もある。

とはいえ、選挙で選ばれるのはまれなこと。そのほかに、船長になる方法として「俺が船長だ」と公表して仲間を集めることもあった。この場合、船を所有していることが不可欠で、拿捕(だほ)するか、財力があれば船を購入するか、パトロンからもらい受けることもあった。そして、仲間集めは新聞などに求人広告を出して、元海軍の船乗りなどを広く募集したそうだ。もうひとつ、それまでの実績を武器にスカウトされて船長になる、という方法もあった。

船長になっても、命令だけをしていればいいというわけではない。そんな無能な船長では反乱に遭い、その地位を引きずり降ろされてしまう。さらに、船員との対立が激化し、リーダーとして失格の烙印を押されたら最悪だ。リンチされたり、無人島に置き去りにされたりすることも珍しくなかったという。船長は、常に船員から支持されなければならず、リーダーとしての資質を示し続ける必要があった。

船の命運を握るキーパーソンだった

海賊船の船長はその器として死をも恐れない強さや、リーダーシップ力が求められた。

船長は社長だった

海賊船の船長は、企業の社長と同じだった。人望とリーダー性、そして資金力が重要で、基本的に船は船長の私有財産で購入していた。

仲間を募集して船長となる

自らが船長となり、新聞に求人広告をだして船員を募集した。募集要項には航海ルートや面接場所、給料についてなど書かれていた。

強さとリーダーシップが必要

船員から「無能」だと断定されれば即座に船長の座を降ろされた。そのため船長は、船員たちを引っ張っていくだけのリーダーシップ力が求められた。

船を動かす航海士は船長に次ぐ重要ポジション

該当する時代	古代	中世	**大航海時代**	近世

該当する海域	**大西洋**	太平洋	**インド洋**

操舵だけではなく重要な役割があった

船上で常に気象や潮の流れを監視し、安全な航海ができるように務めるのが航海士の仕事だ。船を動かす上で、なくてはならないポストの筆頭といえる。それは今も昔も変わらない。専門的な知識が要求される航海士になるには、現在なら国家資格である海技士免状が必須だ。

もちろん海賊が活躍した時代には国家資格はなかったが、航海士は船長に次ぐナンバー2の重要な立場だと一目置かれていた。小規模な船の場合は、船長が航海士も兼ねていたり、船長とほぼ同等のポジションだったりすることもあったという。そのため、操舵するだけでなく、さまざまな業務を行った。敵船から奪った戦利品の査定と分配、食料や日用品の割り当て、船員同士のトラブルの仲裁、懲罰の決定と実行なども、航海士が担当していたのだ。

航海士は、海図、方位磁石、デバイダー、天測器、望遠鏡などのグッズを駆使して安全な航路を導いてきた。進路を決める指針である海図は、航海する者にとって何よりも大切なものだ。とりわけ、当時はまだまだ発展途上で海図に示されていない海域も多く、貴重なお宝のひとつだった。なかでも、スペインが作ったアメリカ大陸沿岸を測量した海図は引く手あまた。このアメリカという新大陸の海図を求め、海賊がスペイン船を狙い撃ちしたという。

デバイダーは、海図上の長さを実際の距離に換算する際に活躍するアイテム。また、天測器は自分の船の位置が割り出せる道具だ。太陽によってできた影を天測器で測ると、緯度を特定できる。最初に発明されたクロススタッフという天測器は、太陽を直視しなければならなかった。その後、太陽を直視しなくても使えるバックスタッフと呼ばれるタイプが発明され、緯度の測定が一段と正確に行われるようになった。

航海士

船長に次ぐナンバー2の実力だった

航海士は仲間からの信頼も厚く、ほぼ船長と同等の立場になることもあった。

舵取り

大航海時代の航海士は、航路を決める船の舵取りをした。どこで襲撃するかまでも計画し、航海士は航海になくてはならない存在だった。

クロススタッフで緯度を測定

緯度を測るためにクロススタッフという道具を使用した。太陽の高度を測定する装置で、のちに改良されバックスタッフという天測器を使用した。

針路決め

デバイダーやコンパス、海図などの道具を使い距離を計算した。船の運航ルートを決めるには緻密な計算ができなければならなかった。

懲罰の管理

航海士は船長から権限を委譲されることもあり、船員たちの懲罰の決定も執り行った。ほかに、掠奪品の分配なども担当していた。

腕っぷしが強い者という理由で、副船長に選ばれることもあった

該当する時代	古代	中世	**大航海時代**	近世

該当する海域	**大西洋**	**太平洋**	**インド洋**

サーベルや短刀を使って危険と隣り合わせの肉弾戦

戦闘員は、目当ての船から掠奪（りゃくだつ）するときや、敵船から襲撃されたとき以外、船員としての業務を行っていた。見張りや荷物の積み下ろし、船体や帆・甲板の整備と点検に清掃など、普段からやるべき仕事は多いのだ。甲板仕事には海賊のなかでもならず者がそろっていたため、甲板部のリーダーである甲板長は頭が切れて腕っぷしが強くないと務まらない。通常時には、船員たちが規律違反をしていないか目を光らせるのも甲板長の役目だ。

戦闘においては、船長とともに戦術を考えて作戦を練る。そして、戦闘員を率いて敵を撃破し打ち勝つ。甲板長は、先頭に立って戦わなければならないので、ケガや死亡するリスクも高くなる。そんな危険なポジションのため、一般の戦闘員よりも割り増し分の報酬を得ていた。また、甲板長はひとりの場合もあれば、船の規模に合わせて数人体制のところもあったという。

海賊の戦闘といえば、最初に大砲を撃ち込んで敵船をできるだけ破壊し、あとは相手の船に乗り込んでの肉弾戦。サーベルや短刀、斧などを使って、個人の戦闘力で敵を倒すというのが一般的だ。大砲や鉄砲で遠距離から狙い撃ちして、危険を回避するなどというスマートな戦い方はしない。海賊船は小回りの利く船が多く、武器の装備も大型船や軍艦には到底かなわない。大砲や銃器の充実度は劣り、火薬の量も十分ではなかったからだ。銃器に頼れないからこそ、剣の扱いに長けた戦闘員たちの活躍が欠かせないのだ。

また、当時の銃はそれほど性能が高いものではないので、連射などができるはずもない。一発ずつ装填するより、確実な剣のほうが自分の身を守れると思うのは当然だ。しかも、戦いの舞台は波で揺れる海の上。正確に狙いを定められる腕がある者は限られていた。

剣や短刀の斬り合いで戦った

乗組員のほとんどが戦闘員としての剣術を身につけた。強い者は副船長に任命されることもあった。

斬り合いで戦う

戦闘において勝利のカギを握っていたのは接近戦である斬り合いだった。ピストルやマスケット銃などの火薬を使用する武器は発射に時間がかかるため、カトラスという剣や、短刀で斬り合って敵と戦った。戦闘技術の高い者は、副船長に任命されたという。

砲手が打ち込む砲丸は爆発しないただの鉄球だった

該当する時代	古代	中世	**大航海時代**	近世

該当する海域	**大西洋**	**太平洋**	**インド洋**

砲手の撃った砲丸は1.5km先まで届いた

大砲は海賊船のマストアイテムというイメージだが、初めて船に大砲が搭載されたのは14世紀半ばのイギリスだった。その後、列強各国は海の覇権を掴むため、重装備化が進められた。16世紀頃の艦船砲は、20kgの砲丸を1.5km離れた場所まで飛ばすことができたという。

専門的な技術が必要な砲手は、貴重な人材だった。それは、受け取る報酬が船長や航海士の次に優遇されていたことからもわかる。特に海賊時代、大砲を発射するには複雑な上に危険な作業が必須で、手順や火薬の量などを適切に処理できなければ最悪の場合は自爆することもあった。撃てればいいということでもなく、敵船を発見したら素早く正確に撃たなければならない。高い攻撃力を持つ大砲であるからこそ、敵に気づかれる前に大きな損害を与えることが求められていたのだ。

輸送船を発見し奇襲をかける際、砲手が正確な一撃を放つことで海戦の火蓋が落とされる。スキルが高い砲手がいれば、このときに素早く2発くらい砲弾を撃ち込めて有利に戦えるのだ。奇襲によって統制が乱れたところへ、戦闘員が一気に乗り込む。そのとき、砲手も戦いに参加するが、接近戦よりも遠距離から手投げ弾を要所要所に撃ち込んで味方を援護した。

海賊船に積まれていた砲丸は、爆弾ではないことが多かった。海軍の戦艦は爆弾を使っていたが、海賊たちは火薬も入っていない鉄の玉を撃っていた。爆弾を扱う高いスキルもなく、資金もない場合が多数派だったからだ。

砲手は大砲の砲撃のほか、火薬、銃などの保守・点検なども担当した。ちなみに、現在の日本の海上自衛隊で砲手にあたる職種は射撃員だ。大砲やミサイルランチャーの操作・砲撃を担当し、弾薬などの火薬の取り扱いも行う。

砲手

戦いの合図である一発目を撃ち込んだ

敵の船と戦うときは、砲手が敵の船に一発目の大砲を撃ち込んだ。責任重大な役割であり、かなりの技術が必要だった。

大砲を撃つ

大砲を操作し、砲丸を発射させるには4、5人の作業員が必要で、射撃までに時間がかかった。砲手は約2分で正確な位置に砲弾することができた。

一発目の砲弾

砲手は奇襲開始の合図となる最初の砲弾を敵船に撃ち込んだ。その一撃で相手を威嚇したり、ダメージを与えなければならず、責任重大な役目だった。

手投げ弾で相手を威嚇

真偽は定かではないが、接近戦の際、相手の船員が集中する場所に向かって手投げ弾を投げ込み、攪乱（かくらん）させたという説もある。

火薬の管理

大砲や銃の火薬の管理も行った。雨風のせいで火薬が上手く着火しないこともあり、湿気らないよう厳重に保管した。

船医は戦わなくてOK！ 戦闘中は部屋に隠れていた

該当する時代 ▷	古代	中世	**大航海時代**	近世

該当する海域 ▷	**大西洋**	**太平洋**	**インド洋**

薬はノドから手が出るほど欲しい貴重品だった

海賊のクルーのなかで、船医も重要なポジションだ。船が港を離れたら、外から物資や人材を入手することは困難になる。乗組員が病気になったりケガを負ったとき、船上で対応するしかない。海賊時代は、船上での生活は劣悪なもので、衛生面から見ても最悪だった。食料も肉中心だったことから、ビタミン・食物繊維はほぼ摂取できない。そのため、航海が長くなればなるほど、壊血病（かいけつびょう）などにより健康を害し、命を落とす者が増えた。

当時は医学的にも発展途上で、一般にも薬は貴重なものだった。したがって、船医が乗船している海賊船でも薬がなく、伝染病がまん延するような惨状も起こったという。そのため、掠奪（りゃくだつ）品のなかに医薬品があった場合、丁重に扱われた。

病気も怖いが、敵との戦闘や仲間内でのいざこざなどからケガをすることは日常茶飯事。刀や銃による傷、砲撃による損傷なども多く、船医はその場で外科的処置を求められた。過酷な環境のため、手術といっても負傷箇所をのこぎりで切る、銃弾をスプーンでかき出すなどの処置がまかり通っていた。傷口や切断面が化膿してしまう可能性も高く、敗血症（はいけつしょう）などから死亡するケースも多々あったのだ。

このように、船医は非常に厳しい状況で職務を全うしなければならない立場だ。加えて、海賊船に乗りたがる者は少数だったので、報酬面で優遇された。戦闘になった際も、自ら戦うことはせず自船に残ったという。もし、捕虜となったときも敵船に厚遇で迎えられていた。それほど、引く手あまたな職種だったということだ。

実在した船医では、『種の起源』を著したダーウィンが有名だ。海賊船ではなく英海軍のビーグル号に博物学者として乗船したが、船医も兼ねていた。

船医は海賊たちに手厚くもてなされた

ケガや病気を治療する船医は海賊にとって貴重な存在。捕まえた船に医者がいれば海賊たちは喜んだ。

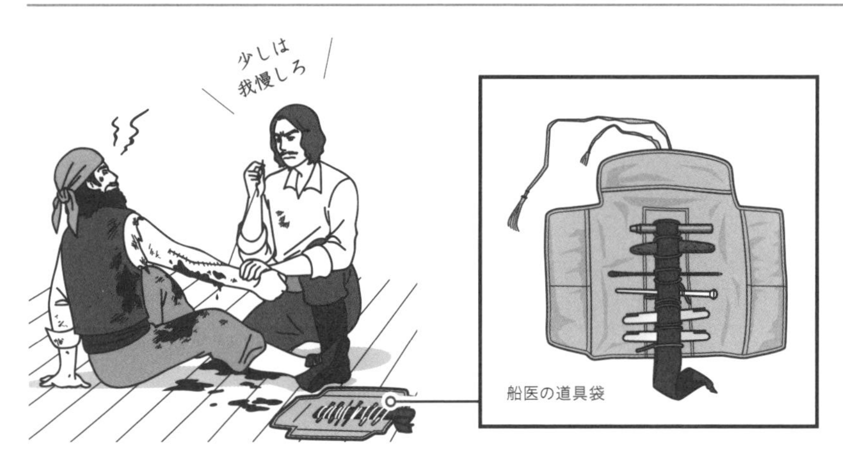

傷の手当て

手術をすれば高確率で伝染病にかかり死に至るので、重症の場合でも応急処置程度の手当てしかできなかった。船医は、傷を縫合する針や糸、切開用のナイフ、弾を取り除くスプーンなどを使い処置をした。

商船から船医を強奪した

海賊船の医者になりたい人はそうそうおらず、襲った商船から略取するパターンが多かった。船医は待遇がよく、ほかの船員よりも多く分け前をもらっていた。

戦闘中は船内で待機

船医の職務は戦闘後の傷の治療だったため、戦闘に加わることはなかった。船医は貴重な存在でもあり、戦闘中は船内で待機し終わるのを待った。

船大工の給料は一般乗組員よりも低かった

該当する時代	古代	中世	**大航海時代**	近世

該当する海域	**大西洋**	**太平洋**	**インド洋**

船自体を造ることはまれ 修理やメンテナンスを担当

海賊船は木製の帆船である。帆船は、姿は美しいが、鉄などの材質に比べればもろく、常日頃からメンテナンスが欠かせなかった。海賊船ともなれば敵船との戦闘もあり、補修を怠れば沈没する可能性もあるからだ。船の補修や緊急脱出時に使うボート造りを行っていたのが船大工だ。また、浅瀬で座礁した際は、船を解体するために乗組員を的確に指揮することもあったという。

船大工だけで、日常のメンテナンスをしていたのではなく、海賊船の乗組員が総がかりで行っていた。なぜなら、乗組員の大多数が労働者階級で、専門的な技術を身につけていたからだ。いわば手に職を持った者たちで、陸にいた頃から家の補修など、自分のことは自分で行っていたのである。船上にきたら、わが家となった船の補修をするのは当たり前というわけだ。

このように海賊船の船大工は、船の補修が主な仕事。木材を使って船を造ることはまれで、造船は陸にいる船大工が受け持つことがほとんどだった。海賊船として使われる船は、もともと掠奪(りゃくだつ)された船が多かったので、造ること自体まれだったのもある。

普通に航海していても船底にはフジツボが張り付き、海藻が付着し、ネズミが船板に穴を開けたりする。船を浜に引き上げて行う船底の補修を、習慣的に指揮するのも船大工だ。また、敵船を強奪した場合、「俺たちの船だ」と広く知らせるため、船首に取り付ける装飾を変えることがあった。装飾は動物や人物などの像だったが、その作製も船大工が行っていたようだ。

船が沈んでは掠奪どころではないので、船大工は重要な仕事であることから戦闘への参加は免除されていた。しかし、命を張ることがないため、報酬はほかの乗組員よりも低かったのだ。

大掛かりな修理は船大工の仕事

船の修繕は日常業務の一環で全員が担っていた。船大工はダメージの大きい損傷などを修理していた。

船の修復作業

大砲の被弾によってできた傷を修復した。当時の大砲は爆発せず鉄の塊だったため、木造の船には穴が開き、大きな損傷となった。

船首の装飾変え

船首の装飾は船の保有者の証しとなり、海賊たちは船を掠奪すると自分たちのものに変えた。船大工は船首の装飾を変える作業も担当していた。

ボート造り

座礁などにより航行できなくなったとき、船大工は船の解体作業の指揮をとった。解体した船で脱出用のボートを造り、船員たちを救った。

音楽士は戦闘中に演奏して船員たちのテンションを上げた

該当する時代	古代	中世	**大航海時代**	近世

該当する海域	**大西洋**	**太平洋**	**インド洋**

単調な海での日常生活には音楽が必要だった

すべての海賊船ではないが、バイオリン、ホーン、ドラムなどを演奏する音楽士が乗船している船もあった。船上での生活は普段は単調なため、音楽士はとても人気があったという。

奏でられる音楽は、通常時には乗組員たちのモチベーションを保つために役立ち、また心の癒やしにもなっていたのである。船上での作業に合った船歌や、夕食の際の音楽、気持ちを盛り上げる陽気で踊れるような演奏などが行われていた。また、陸地に滞在しているときも、酒盛り中に演奏することもあった。

世界最大の海賊と呼ばれたバーソロミュー・ロバーツの船も、音楽士が乗船していた。彼の作った掟のなかには、音楽士に対して「定期的に休息をとる必要がある」と記述されている。ロバーツは敬虔なキリスト教徒だったため、音楽士を大切な海賊の一員として扱っていたのである。

また、戦闘中にも音楽士は船員たちを発奮させるために演奏したという。進軍するような高揚感のある曲、乗組員たちが好んでいるメロディーなどを弾き続けたのだ。

さらに、輸送船などを襲撃する際、威嚇のために音楽を使うこともあった。船員が大声で罵声を浴びせ、銃などを打ち鳴らし、音楽士が不協和音を大きな音で聞かせる。相手が震え上がったところに、大砲を撃って停船させ乗り込むようなこともしていた。

最初から海賊船の音楽士となる者はやはり少なかったようで、大概は襲った敵船にいた音楽士を引き入れていた。逆に敵船に襲われて船員たちが捕虜の身となった場合でも、音楽士や楽器を弾ける者は拷問を免れることができたそうだ。それだけ音楽士は、海賊たちに愛される存在だったということだろう。

音楽士

海賊たちを癒やすエンターテイナー

いなければ困るような役職ではなかったが、音楽士たちは演奏を通して海賊たちの心を癒やし、士気を高めた。

演奏で海賊たちを楽しませる

音楽士たちは海賊たちのモチベーションを維持させるため、バイオリンやドラム、ホルンなどで音楽を奏でた。戦闘時も、楽器で大きな音を出し海賊たちを鼓舞した。

讃美歌

安息日に音楽士たちの讃美歌を聴き、休暇を過ごす船長もいた。商船を荒らし回る海賊も、定期的な休日が必要だった。

商船から強奪し歓迎された

襲撃した船から音楽士を連れ去ることが多かった。捕虜であっても演奏ができる者ならば拷問が免除され、楽器を演奏できる者は海賊に歓迎された。

戦闘中に負傷した船員が料理番になることもあった

該当する時代	古代	中世	**大航海時代**	近世

該当する海域	**大西洋**	**太平洋**	**インド洋**

海が荒れている日は火を使った調理は厳禁！

船上で生活を送る海賊たちに、食を提供するのが料理番の務めである。しかし、海賊船では調理する環境も食材に関しても過酷な状況だった。

当時は保存技術がまだ発達していないので、日持ちのよい塩漬け肉や固いビスケット（ハード・タック）、酒などを提供していた（39ページ参照）。また、海賊船には調理用具も十分にそろっていることはなく、炊事場がない場合も多かった。たとえば、「隠し財宝伝説」で名高いキャプテン・キッドのアドベンチャーギャレー号は、150人の乗組員がいた大型帆船だったが、厨房がなかったと伝えられる。

多くの海賊船では間に合わせのかまどで調理をするため、波が高い日は危なくて火は使えなかった。船上火災を起こすリスクを避けなければならないからである。火が使えないとなると、保存食のハード・タックを食事として出すことになる。ところが、ハード・タックはすぐにウジ虫がたかってしまい、海賊といえども食べる気が失せたというが無理もない。

砂糖も貯蔵されていたが、船のなかでは希少品。その砂糖を使った酒のレシピが記録として残されている。まず、コップ1杯のラム酒に、レモン半分を絞って入れ、スプーン3杯分の砂糖を溶かす。これが「グロッグ」と呼ばれる海賊のカクテルだ。大勢で飲むときはアルコールで味を薄めたり、砂糖なしで作ったりした。レモンはビタミンを摂取できるため、壊血病予防にも役立っていたのだ（41ページ参照）。

海賊船の料理番には、戦闘で足を負傷した者もいた。義足になっても両手が使えれば調理が可能だ、と考えてのことだ。時には、釣った魚や浜で狩ったウミガメなどで料理の腕をふるうこともあったようだが、食事事情は日常的に厳しいものだった。

片足を失った海賊が料理人となることも

戦闘に参加していた腕っぷしの強い海賊が料理人になることで、食料の盗み食いなどを防いだ。

料理人

戦闘で片足を失い、戦闘に参加できなくなった者が料理人になるケースもあった。料理人は船員たちが飽きないように、限られた保存食を使い回した。

ウジ虫を取る方法

ハード・タック(39ページ) を海賊たちはよく食べていたが、すぐにウジが湧くという難点もあった。その対策としてビスケットの袋の上に魚を置いてウジをおびき寄せた。

船上での調理事情

海が荒れている日は、火災の恐れがあったため火の使用は禁止されていた。波が静かな日には、塩漬けにした肉や魚を大鍋で煮込んで食べた。

世界を冒険して研究したい！海賊船に乗り込んだ学者がいた

該当する時代	古代	中世	大航海時代	近世

該当する海域	大西洋	太平洋	インド洋

自然科学、博物学など後世の学者にも影響を与えた

海賊の航海の主要な目的といえば、金品などのお宝を掠奪（りゃくだつ）することだ。その一方で、初めて知る土地の文化、自然、動植物などに興味を持ち、探究心を掻き立てられた者もいた。

17世紀のバッカニア海賊（120ページ参照）であるウィリアム・ダンピアは、博物学者であり、文筆家として有名だ。世界一周という素晴らしい功績を上げ、その世界周航をもとに『新世界周航記』を著した。12年かけて世界一周するなか、見知らぬ土地の文化・風俗、天候や海流、動植物などを観察し、分析して記録。未知の世界のことを克明に記した内容が大好評で、ヨーロッパを中心に世界中でベストセラーになった。一躍有名となったダンピアは、その後も世界一周に旅立ち、3度も達成したという。

ダンピアの記録は、新しい世界の紹介に留まらず、その後の学者や作家たちにも大きな影響を与えた。進化生物学のダーウィン、地理学の祖であるフンボルトも理論を確立する途上で影響を受けたことが知られている。また、航海術はイギリス海軍のキャプテン・クックなどに引き継がれていった。

ダンピアの3度目の世界周航は、ウッズ・ロジャーズの私掠船だった。船長のロジャーズも『世界巡航記』を書いたことで知られる海賊。そこには、無人島から救出した者を航海士にしたというエピソードが記されている。それが小説『ロビンソン・クルーソー』のもとになったと伝えられる。

彼らの興味はあらゆる分野に及び、航海術、自然科学、考古学、博物学まで多岐にわたる。新天地にたどり着くと詳細な日誌を付け、細部まで観察したスケッチを描くなど、数々の貴重な記録を持ち帰った。このことがのちの人類の発展に少なからず寄与したといえるのだ。

文化や自然に研究熱心な海賊がいた

財宝目当てだけではなく、世界中の文化について研究をするために海賊稼業をしている冒険家もいた。

航海の記録

航海ルートや世界各国の人々、文化や歴史、生活様式などを記録した。そうした記録は、出版され当時の人々たちを大いに驚かせた。

この植物は
初めて見るぞ

現地の動植物の研究

航海先の島に訪れ、動物や植物の生態について記録した。この記録は、後世の博物学の研究に多大な影響を与えた。

食べ物の研究

生物の観察だけでなく、食べて味を確かめて、調理して食べることができるか研究した海賊もいた。「フラミンゴは脂肪が少なくてよい肉」「アルマジロはカメと似た味」などと記述した。

雑用係のキャビンボーイは船長の夜の相手もした

該当する時代	古代	中世	大航海時代	近世

該当する海域	大西洋	太平洋	インド洋

一攫千金を夢見た少年が海賊船に乗り込んだ

どこの世界でも、雑用係というのは必要だ。船員たちを取り仕切るなどの重要な仕事ではなくても、掃除や作業の補助といった雑務は日常的に発生する。海賊船でそんな雑用をこなすのが、下働きのキャビンボーイだ。

現代の船旅では、キャビンボーイといえば客室担当の接客係を指す言葉。ルームサービスやベッドメイキングなどを行う。キャビン・クルーともいわれ、女性の場合はキャビン・スチュワーデスともいわれている。

ところで、海賊船の乗組員は新聞などで求人募集することもあった。キャビンボーイも同じく、水夫見習いとして募っていた。一攫千金にあこがれた貧しい家の男の子が自分から志願して、海賊船のキャビンボーイになったのである。中には輸送船などを襲い拉致した少年なども入っていた。拉致されたのだから、そこで働くしか生き残る道はなかったのだ。

このとき、目端が利く少年の場合は、砲弾を磨いたり弾薬を運んだりする仕事に回されたという。少年たちが小さな体を活かし、戦闘中の敵味方入り乱れた船上を縦横に移動して弾薬を運ぶ。弾薬運びは危険を伴うし、誰にでもできる仕事ではなかった。適性がない者たちは、それ以外の雑用に配置された。船長室や船内の掃除、料理の手伝いなど、いろいろな作業をやらされていたのだ。

海賊時代、ヨーロッパは中央集権国家で、下層民たちは搾取され抑圧された存在。海賊はまさに、その社会への不満を抱えた下層民たちで、実力があればのし上がれる掟を作った。キャビンボーイも最下層出の少年たちだが、陸上の階級制度とは無縁の海賊船で働くなかでさまざまなことを経験し、「いつかは船長に」と夢を持つことができたのかもしれない。

キャビンボーイ

海賊たちの日常生活を支えるキャビンボーイ

キャビンボーイは海賊になる夢を見る少年たちだった。水夫の見習いとしてあらゆる雑用をこなした。

掃除

弾薬運びとして使い物にならなかった青年たちは、雑用係に回され、船内の掃除をした。船内の衛生を守る大切な仕事だった。

料理の手伝い

料理人の手伝いを行った。ジャガイモの皮を剥いたり、配膳を手伝ったり、料理人の補佐を担当した。

船長の雑用係

船長に気に入られた者は、船長のそばで船長のあらゆる指示に従い付き添っていた。船長の夜の世話を務めたこともあったという説もある。

操縦の手伝い

天気がよい日は、操舵士の代わりに操舵手として舵を取り、船をコース上で安定させるために尽力していた。

column ②

海賊たちの財宝は今もどこかにある！

現在でも発掘作業が続いている

キャプテン・キッドの名で知られるウィリアム・キッドが、多くの財宝を世界各地に隠したとされる財宝伝説はとても有名な話。彼が隠した財宝の総額は10万ポンドにもなるといわれ、現在の日本円で20億〜50億円以上と考えられている。近年では、2015年に沈没船のなかから、キッドのものとされる重さ約50キロの銀の延べ棒が発見された。残念ながらこの情報は誤報だったが、財宝伝説は現在でも多くの人々の探求心を掻き立てている。また、カナダのオーク島では、1804年に16歳の少年たちにより「この下に2億ポンドが埋まっている」と書かれていた石板が発見された。現在でもオーク島での財宝の発掘作業は続いており、その様子が放送された海外のドキュメンタル番組は人気を博している。

三章

戦いと道具の作法

商船を襲い財宝を奪い取った海賊たち。ただ襲うだけではなく、変装して敵の船に近づいたり、奇襲したりさまざまな戦術を駆使した。海賊が実際に使っていた航海の道具や武器、海賊船や旗などを見ていく。

難破しかけた船を偽装して助けに来た船を襲った

該当する時代	古代	中世	大航海時代	近世

該当する海域	大西洋	太平洋	インド洋

戦闘力だけじゃない心理戦も駆使した海賊たち

海賊たちは、実戦はもちろん、心理戦においても優れた戦略家だった。

お宝を載せた船を見つけると、海賊たちは確実に掠奪(りゃくだつ)を成功させるために、あの手この手のだまし討ちや威圧といった心理戦を敵となる相手の船に仕掛けていった。

まず友好を示す旗を掲げ、軍服を着込んで変装し、相手の船を油断させる。女装して貴婦人のふりをした海賊もいた。船に接近してくるや否や海賊旗を掲げ、大声や銃声、楽士が奏でる不協和音などで脅しをかける。そして大砲をぶっ放して停船させると、相手の船に乗り込んで掠奪を行った。

人間は予想もしていなかった事態に遭遇すると、正常な判断力を失ってしまう。無警戒だった相手の船の人々たちはパニックに陥り、簡単に海賊に制圧されてしまうのだ。

18世紀の海賊エドワード・ティーチは、自分の長い髪と黒髭に何本もの火縄を結びつけ、火をつけて相手の船に乗り込んだ。顔が火だるまのようになり悪魔のような形相で相手に恐怖心を与え、逆らえないようにしたのである。このように相手の恐怖心をあおり、一気に攻撃を仕掛けて勝利するのが、海賊の得意とする戦法だった。

自分たちの海賊船よりはるかに大きい船を襲うときも、海賊たちは巧みな心理戦を仕掛けていった。あるときは、積み荷を片側に寄せて船を傾け、沈没しかけているように見せかけた。またあるときは船員を甲板に伏せさせて隠し、難破しかけた船を装ったのである。そして救助を求め、相手の船が近づいてきたら、一気に海賊旗を掲げて襲いかかった。

海の男には似つかわしくない卑怯な戦法だが、勝つため、掠奪するためなら、どんなだまし討ちでもいとわないのが、海賊の掟なのだ。

貴族や一般市民を装って相手をだました

優れた戦略家だった海賊たち。女装をしたり、助けを求めるふりをして相手の船をおびき寄せた。

恐ろしい格好で相手を威嚇した

戦術のひとつとして、相手を脅すという手段があった。敵に大砲を撃ち込み威嚇したり、恐ろしい格好をした。

大砲で威嚇する

海賊たちは敵船を見つけるとまずは大砲を撃った。船体を破壊して相手を威嚇し、降伏させようとした。

恐ろしい格好で相手を怖がらせる

海賊たちは自分を強く見せるために派手で恐ろしい格好をして相手を怖がらせた。長い髭に火縄を巻き火をつけて、顔を火だるまのようにした海賊もいた。

そのほか

相手の不意を突き財宝を掠奪した

海賊たちはあらゆる方法で奇襲を仕掛けた。巧妙かつ大胆な戦法が多かった。

小舟で近づいて乗り込む

夜明け前に狙った船に小舟でこっそりと近づき、相手の船に乗り込んだ。不意の襲撃に混乱した相手は、戦意を失った。

操舵手を襲う

まずは操舵手をマスケット銃などで撃ち、思いがけない襲撃で相手をパニックにさせた。狙撃手として腕のいい砲手が活躍した。

斧で帆を打ち壊す

相手の船に乗り込むと帆網に登り、斧で帆を断ち切って航行不能にさせた。いきなり船が壊されて戦意を喪失し、降伏するケースもあった。

海上だけでなく内陸まで攻め込む海賊もいた

該当する時代	古代	中世	大航海時代	近世

該当する海域	大西洋	太平洋	インド洋

陸の海賊は海以上に暴虐非道だった！

海賊たちの餌食になったのは、海を航行する船だけではない。陸で暮らしている沿岸部の人たちもターゲットになっていたのだ。何度も海賊に襲撃された町は、港に砦を作り、防御を固めるようになる。それに対抗するべく海賊たちも、海だけではなく地上戦を行うようになっていった。

陸地での戦闘を得意としたのが、イギリスの海賊ヘンリー・モーガンだ。モーガンの名を一気に有名にしたのは、1668年のプエルト・デル・プリンシペ襲撃である。この町はキューバ島のほぼ真ん中にあり、海から距離があるため海賊に襲われたことがなく、裕福な町として知られていた。

この町に狙いを定めたモーガンたちは、入り江に自分たちの船を隠すと、プエルト・デル・プリンシペまで約48kmの道のりを歩いて移動。深夜に到着すると襲撃を開始した。不意をつかれた住民たちはなすすべもなく、町は占拠され、モーガンたちはやすやすと貴金属、食料、酒などを手に入れたのだった。

その後モーガンは、同じような戦法でプエルト・ペリョ、カルタヘナ、パナマといった町を襲撃していった。これらの港町は、スペイン人が中南米で奪い取った金銀財宝を本国に送るための拠点だったのだ。パナマを襲撃したときモーガンは約3000人の海賊たちを組織化し、10日以上かけてパナマ地峡を行軍。海に向かって防御を固めていたスペイン軍の後方から攻撃を仕掛け、圧勝した。

モーガンは莫大な財宝を奪っただけでなく、町や村を完全に乗っ取るため子ども、女性、聖職者の市民を区別なく襲撃し、彼らを閉じ込めた修道院を爆破した。陸上の海賊たちは、町や市民を巻き込んで、海以上に暴虐の限りを尽くしていたのである。

陸での掠奪行為

海上よりも残虐な陸上での掠奪行為

海賊たちの掠奪行為は海上だけとは限らない。港町を襲撃し、財宝や食料を奪い市民たちを苦しめる海賊もいた。

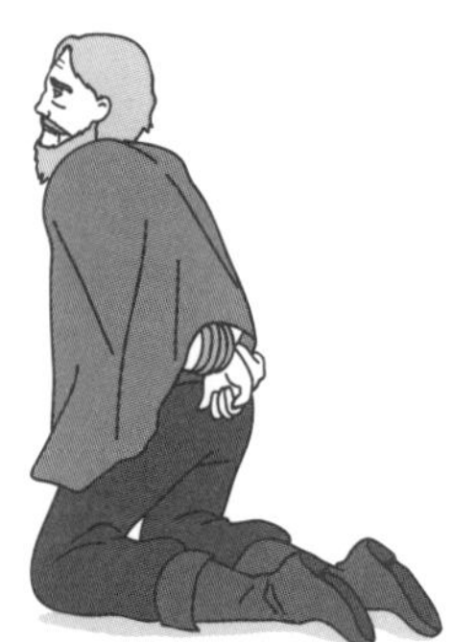

村人たちを脅す

村を襲撃し、乗っ取った海賊たちは、村長や市民たちを捕らえて宝の在り処を聞き出した。正直に答えなければ拷問にかけたり、殺したりした。

市民を虐殺

町を乗っ取るため女や子どももかまわず市民たちを虐殺する者や、市民たちを建物に封じ込み、爆破させた海賊もいた。軍人たちも海賊たちにかなわなかったという。

勝利に酔いしれる

町を襲撃したあとは、町中の宝を集め、へべれけになるまで酒を飲みながらその勝利を祝った。

農作業用のナタを武器として愛用していた

該当する時代 ▷	古代	中世	**大航海時代**	**近世**

該当する海域 ▷	**大西洋**	**太平洋**	**インド洋**

海賊たちが使っていた戦場刀・カトラス

海賊たちは、刀、銃、大砲など、多種多様な武器を使って戦っていた。

なかでも海賊たちが、こよなく愛した武器は、戦闘用の刀、カトラスだ。『パイレーツ・オブ・カリビアン』などの映画で、海賊たちが振り回しているのもこの刀だ。刀身の長さは50〜80cmで、幅が広い刃が特徴。片手で使えるので、狭い船内や甲板で戦うのに最適だった。

カトラスのルーツは、中南米で使われていたサトウキビ収穫用のナタを改良した刀だといわれている。ヨーロッパ人が使っていたサーベルが突きに特化していたのに対し、刀身が短いカトラスは、振りかざして相手を斬りつけることができた。また、カトラスは敵が投げ入れてくる乗り込み用のロープを切断するのにも使われていた。

もともとナタだったこともあって、カトラスは船内の修繕作業などの道具として利用された。そのためカトラスを持っているのは主に下級の海賊で、船内の作業をしない船長や上級の船員は、サーベルを持っていた。

海賊は、カトラスを小さくしたようなガリと呼ばれる短刀も戦闘に用いた。ガリを服の下に隠しながら、友好的な雰囲気を出して敵に近づき、至近距離から相手の喉を掻き切ってしまう。そんなガリは奇襲攻撃にぴったりの刀だった。カトラス同様、ガリも狭い船倉などで行う日常的な作業も使われる道具のひとつだった。

海賊が剣のように振り回して、敵と戦うときに使ったのが斧だ。大型船に乗り込むときは敵船の舷（船の側面）に斧を引っかけて、よじ登っていく。乗り移ったら帆の綱を斧で断ち切り、さらに襲ってくる敵の頭を一撃して倒してしまうのだ。当然ながら斧は剣よりも重い。映画に出てきそうな大男がいたのかもしれない。

短くて振り回しやすい剣を使用した

海賊たちは戦う際、長い剣よりも刀身が短いものを好んで使用した。狭い船内で振り回しやすいためだ。

カトラス

全長は約50〜60cmで、重さは1.5kgほど。幅が広く刀身が短いため、狭い船内で使いやすかった。

斬り合い

戦闘時の接近戦では刃物が活躍した。カトラスを振り回して斬り合った。

ガリ

海賊たちが常に携帯していた短刀。全長約25〜30cmで、重さは1kg未満。

短刀で一突き

懐に隠し持ち、接近時にサッと取り出し相手の腹部を刺したり、喉を掻き切った。

弾が切れたら鈍器の代わりにピストルで殴りつけた

該当する時代 ▷ 古代 | 中世 | 大航海時代 | 近世

該当する海域 ▷ 大西洋 | 太平洋 | インド洋

ピストル、マスケット銃……多様な銃を使いこなした

ピストルは、カトラスと並ぶ海賊の代表的な武器のひとつだ。敵の船に乗り込んで戦う接近戦には、銃身が短いピストルは最適だった。

海賊たちが使っていたピストルは、フリントロック式といって、銃口から弾と火薬を装填するタイプ。引き金を引くと火打ち石が火花を散らし、火薬に点火。弾が飛び出す仕組みだ。

一発撃ってしまうと次の弾を込めるのに時間がかかるので、ひとりで何丁もピストルを持つ海賊もいた。一発撃ってしまうと逆に握って、銃尾で敵を打ち据えるのに使った。

離れたところから敵を狙うときに使われたのが、マスケット銃だ。マスケット銃は銃身が長く、銃身内に螺旋状の溝（ライフリング）が施されていたため、射程距離が伸びて命中率が高かった。それまで離れた敵を攻撃するのに使われていたのは弓だったが、マスケット銃は弓より扱いが簡単で威力があったため、海賊たちはこぞって使うようになった。マスケット銃もフリントロック式で連射はできなかったが、優れた射撃手になると、敵船の操舵手を撃つことができたという。

一方、マスケット銃には、揺れる船上で短時間のうちに弾と火薬を込めることが難しいという難点があった。それを補うために考え出されたのがラッパ銃である。

ラッパ銃とは、その名の通り銃口をラッパのように大きく広げた銃だ。銃口が漏斗のような役割をして、弾と火薬をすぐに詰め込むことができる。命中率はマスケット銃ほどではなく、飛距離も短かったが、大量の火薬や弾を詰め込んで、散弾銃のように使われていた。ラッパ銃は何人もの敵を一度に殺傷できる、強力な武器だったのだ。ちなみにラッパ銃はブランダーバスとも呼ばれ、狩猟にも使われていた。

ピストルは撃った後は棍棒として使った

一発撃ってから次を撃つまでの時間を要した銃は、接近戦には不向きだった。

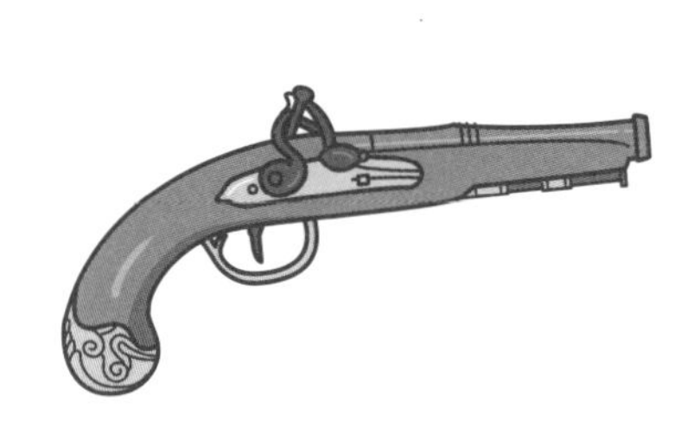

ピストル

カトラスに次いで重宝されていた武器。敵船に乗り込んだときの接近戦でよく使われた。弾が一発しか込められず次の装填に時間がかかることから、撃った後は棍棒として使用した。

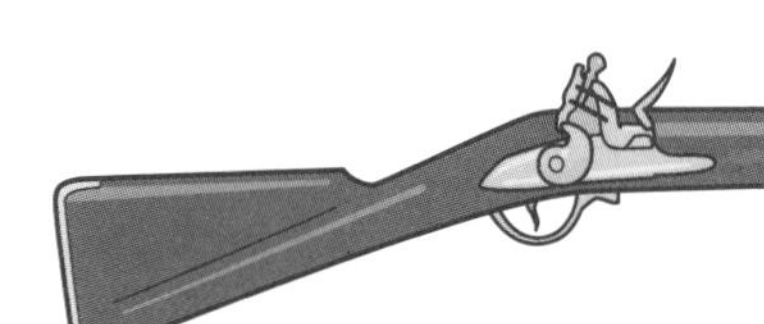

マスケット銃

弾丸が回転しまっすぐ飛ぶように施された銃。ピストルよりも命中率が高いが、荒れた海では獲物を捕らえることは難しかった。

ラッパ銃

銃口が広く、マスケット銃よりも素早い弾の装填が可能だった。しかし命中率が低く、接近戦での使用が多かった。

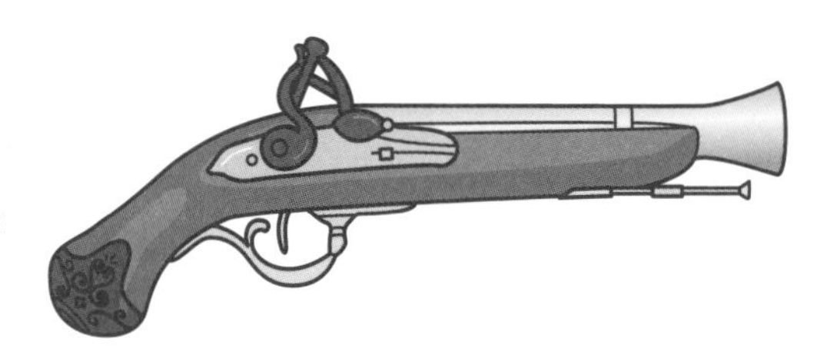

敵を足止めするために、忍者のように撒きびしを使った

該当する時代	古代	中世	大航海時代	近世

該当する海域	大西洋	太平洋	インド洋

大砲から船舶道具まで海賊はすべてを利用して戦った

海賊船がターゲットの船に追いつくと、すかさず打ち込むのが大砲だ。

海賊船というと派手に大砲を撃ち合って、敵を爆破するというイメージが強い。しかし当時、海賊たちが使っていたのは、爆発しない鉄の弾で、命中しても船体に穴を開けることしかできなかった。

敵により大きな損害を与えるために考案されたのが、鎖弾だ。これは二つの砲弾を鎖でつないだもので、通常の大砲の弾よりは飛距離が短いが、一発で敵船のマストや船室を破壊する威力があった。

複数の弾を同時に発射するのがブドウ弾である。帆布製の袋に小さな弾をいくつも詰め込んだもので、ブドウに似ていることからその名がつけられた。ブドウ弾は、飛距離は延びなかったが高い殺傷能力を持っていたため、恐れられていた。

ほかにも、海賊たちが使っていた武器に、手投げ弾があったとされる。坪のような形をした陶器に油を入れ、布で口を塞いだもので、布に火をつけ敵の船の甲板に投げ入れた。甲板に落ちた陶器は割れ、流れ出た油に引火して爆発を起こす。敵船の甲板は一瞬で火の海と化した。この時代の船は木製だったので、よく燃えたことだろう。

日本の忍者が持っている撒きびしに似た鉄びしを使う海賊もいた。鉄びしを甲板にばら撒くと、トゲ部分が上を向くようになっていた。海賊たちは甲板で滑らないように裸足だったため、鉄びしは相手の動きを止めるには有効な武器だった。

また、先の尖った棒状のマーリンスパイクは、相手をひと突きする武器として使われた。もともとは海水につかって固くなったロープを解く道具だったが、海賊は船舶道具も有効な武器として活用していたのだ。

そのほかの武器

戦い方に応じて武器を使い分けた

海賊たちは剣や銃のほかにも、局面に応じて多種多様な武器を使い分けて敵と戦った。

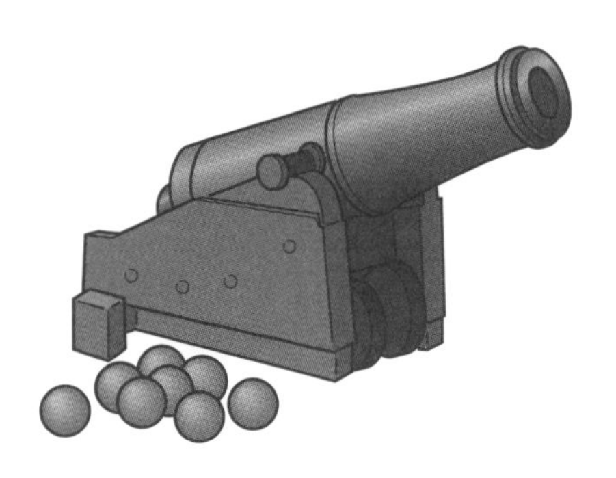

大砲

当時の大砲の砲丸は爆発せず、鉄球だった。相手の船に穴を開けたり、被弾したときの破片で相手を負傷させた。2個の砲丸を鎖でつないだ鎖弾もあり、敵船のマストを破壊した。

手投げ弾

壺のような入れ物にタール油をいれ、布で蓋をしたもの。布に火をつけ、相手の船に向かって投げ込めば、衝撃で壺が割れ爆発した。

マーリンスパイク

水に濡れたロープは硬くなるため、それを解くために使われたマーリンスパイク。先が尖っているので海賊は武器として使用した。

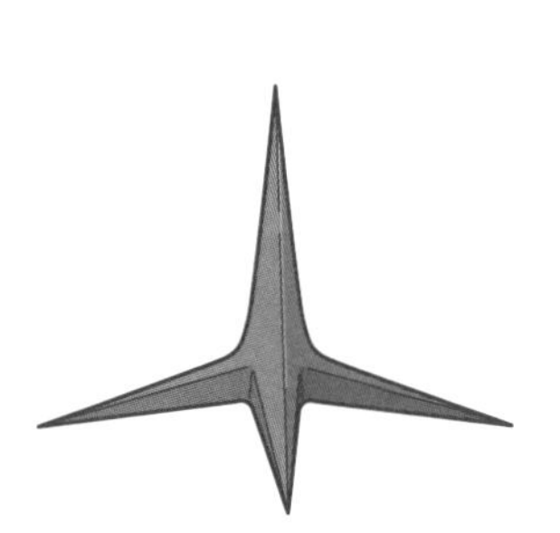

鉄びし

スパイクのひとつが必ず上を向くようになっている。海賊たちは濡れた甲板で滑らないように裸足で過ごしていたため、踏んだときは足に大ケガを負った。

斧

船に乗り込むときに、舷側に斧を食い込ませよじ登った。帆を打ち壊したり、相手の頭をかちわったり、道具や武器として使用した。

戦いと
道具の作法
その六

大量の大砲を装備して高速で移動した海賊船

該当する時代	古代	中世	大航海時代	近世

該当する海域	大西洋	太平洋	インド洋

高速・武力……それぞれ特長があった海賊船

海賊たちがこよなく愛し、無二の友、故郷ともいえるのが海賊船だ。一口に海賊船といっても、その目的によっていろいろな船が使われていた。

スループ船は、海賊たちに最も愛された帆船だ。18世紀頃からカリブ海で造られはじめ、全長10～20mと小型・軽量。攻撃力は低かったが高速で、浅瀬でも航行できた。カリブの海賊王バーソロミュー・ロバーツはこの船一隻で20隻以上の大型商船を拿捕（だほ）したという。

襲撃を得意とする船として海賊たちが乗っていた船がブリガンティン船だ。13世紀頃、ヨーロッパで造られたオールを併用した帆船で、17世紀後半にイギリス海軍が活用していた。18世紀に入ると前のマストには横帆、うしろのマストには縦帆が張られていた。

フリゲート船は大航海時代後半に活躍した船で、高速で走り破壊力を持ち、海賊たちがあこがれていた船だった。もともとは17世紀にイギリスで開発された軍艦で、1860年頃まで大西洋、インド洋、カリブ海などさまざまな海で使われた。小型・高速の帆船だったが、徐々に重武装されるようになり、18世紀には海上戦の主力になっていった。帆を多く備えていたため高速で移動でき、風のない日でもオールを漕いで進むことが可能だった。エドワード・ティーチやウィリアム・キッドといった有名な海賊もこの船を愛用していたという。

探検や長期にわたる航海で使われた帆船がキャラベル船だった。軽武装で、荷物をたくさん積むことができた。コロンブスがアメリカ大陸を発見した際の航海に使ったサンタ・マリア号もこの船だ。ほかに、18世紀主流になったスクーナーは2本以上のマストを持った縦帆が特有だ。遠洋を航海するようになり重用された。

大航海時代に使われた海賊船

大航海時代を代表する海賊船として有名な船がガレオン船だ。商用船を海戦用に改良した。

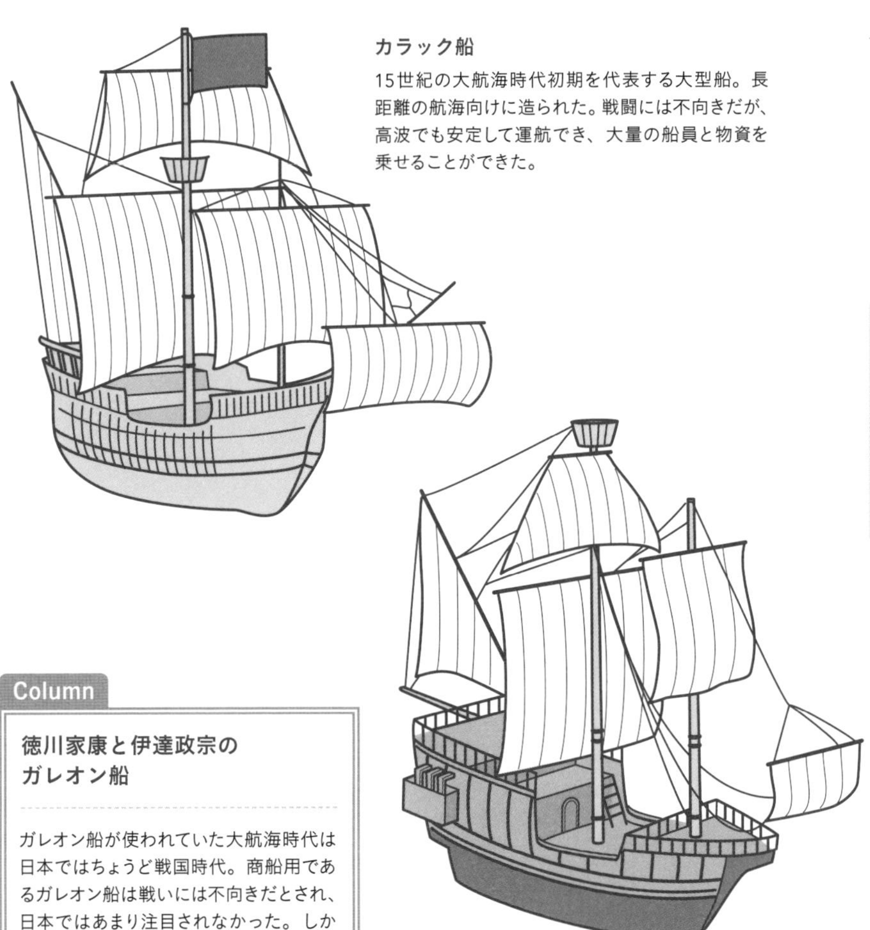

カラック船

15世紀の大航海時代初期を代表する大型船。長距離の航海向けに造られた。戦闘には不向きだが、高波でも安定して運航でき、大量の船員と物資を乗せることができた。

ガレオン船

カラック船を改良して造られた大型船。16世紀中期〜18世紀にわたり使われた。船体が長く、高さを低くし安定性が上がった。どっしりとした造りで、大砲を発射したときでもぐらつきが少なかった。スピードも問題なく、海戦にも向いていた。

Column

徳川家康と伊達政宗のガレオン船

ガレオン船が使われていた大航海時代は日本ではちょうど戦国時代。商船用であるガレオン船は戦いには不向きだとされ、日本ではあまり注目されなかった。しかし、徳川家康と伊達政宗は交易船として着目し、宣教師たちに命じてガレオン船を建造した。日本で建造したガレオン船はこの2隻だけといわれ、伊達政宗のガレオン船「サン・ファンバウティスタ号」は太平洋を2往復したという。

船の全体像

船員たちの個室はなかった海賊船

大航海時代の海賊たちが乗っていた船の構造を紹介する。船員たちの寝室はなく、空いているスペースで寝ていた。

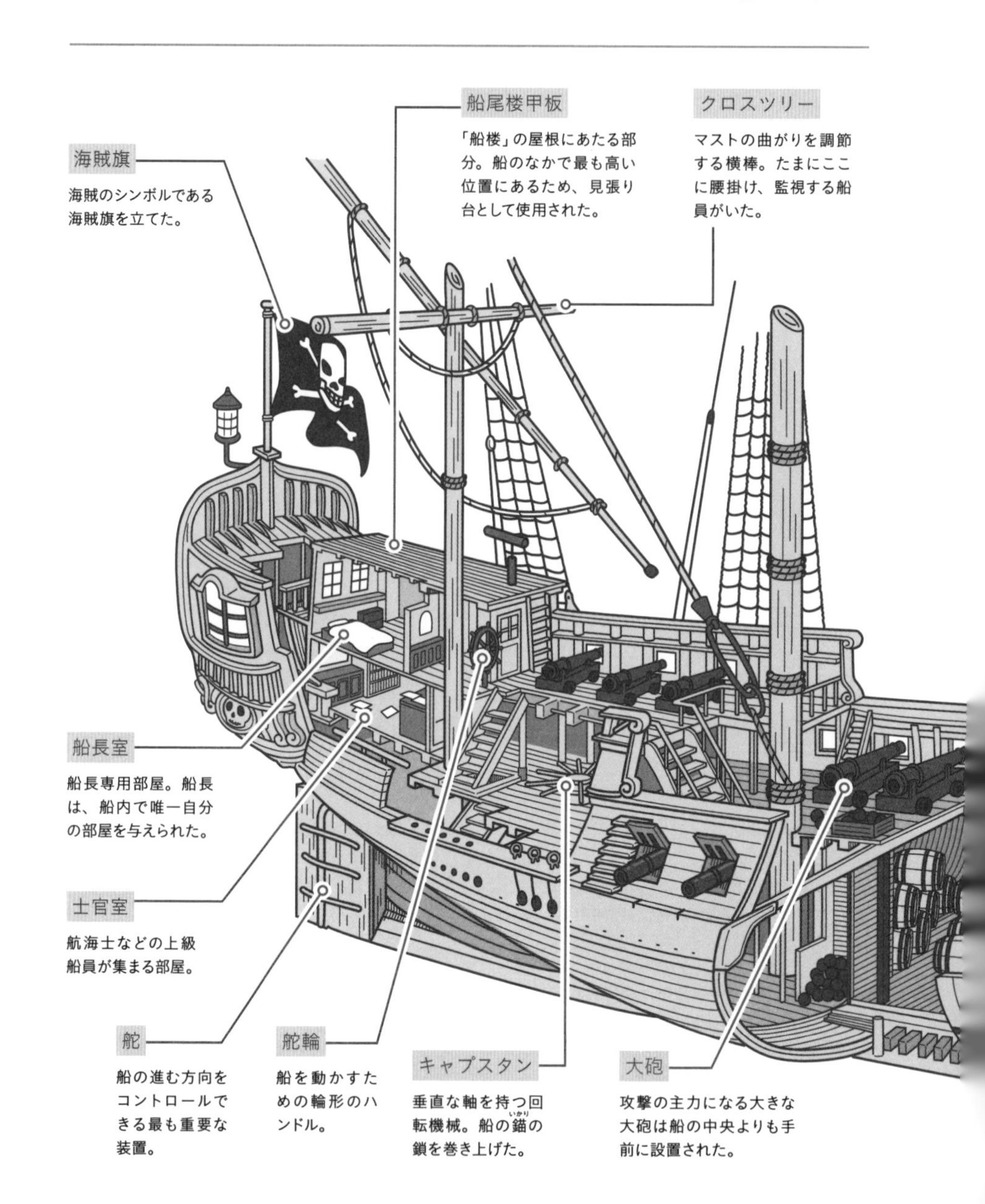

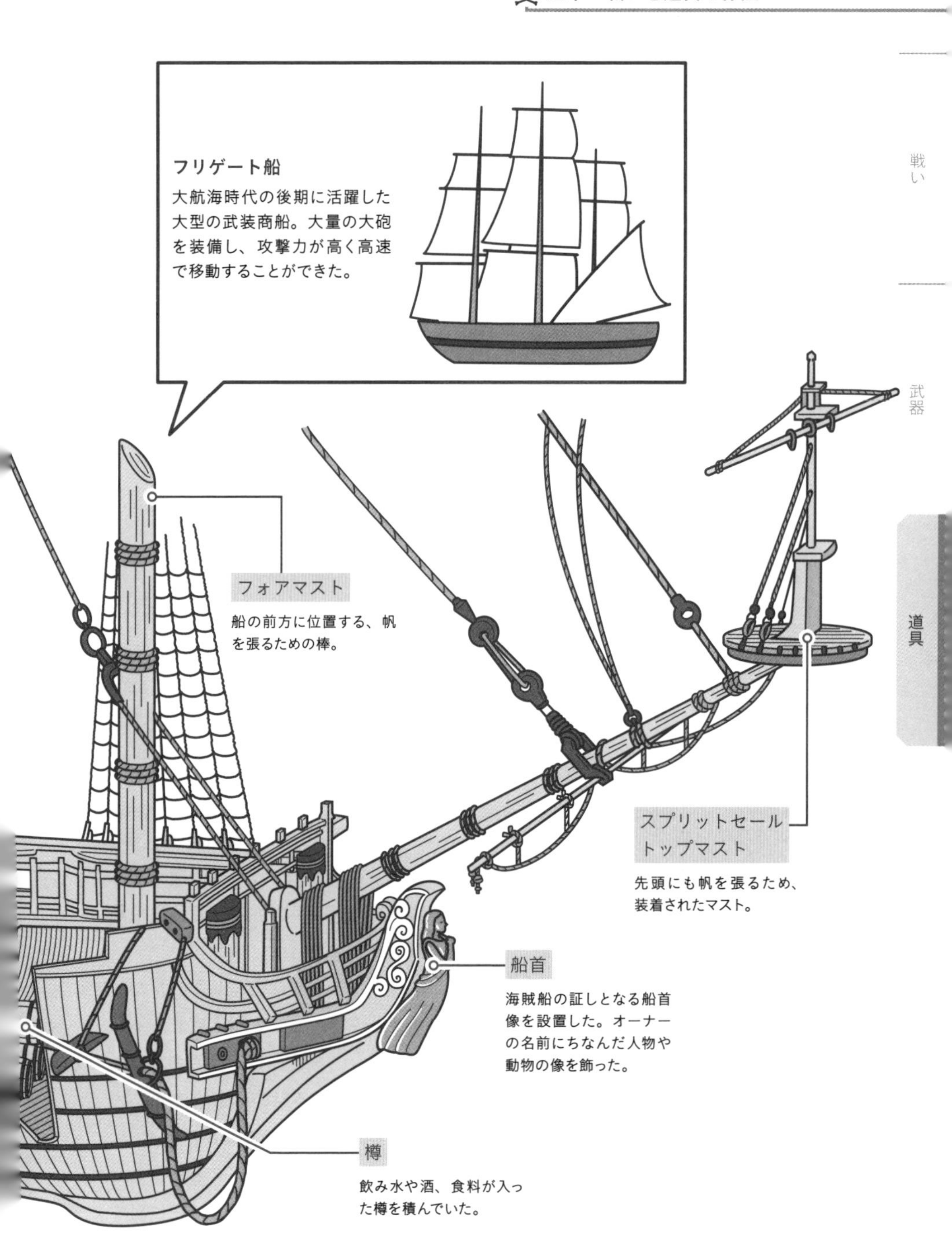
フリゲート船
大航海時代の後期に活躍した
大型の武装商船。大量の大砲
を装備し、攻撃力が高く高速
で移動することができた。
フォアマスト
船の前方に位置する、帆
を張るための棒。
スプリットセール
トップマスト
先頭にも帆を張るため、
装着されたマスト。
船首
海賊船の証しとなる船首
像を設置した。オーナー
の名前にちなんだ人物や
動物の像を飾った。
樽
飲み水や酒、食料が入っ
た樽を積んでいた。

雲の形や渡り鳥の様子を見て、陸地を探り当てた

該当する時代	古代	中世	大航海時代	近世

該当する海域	大西洋	太平洋	インド洋

さまざまな道具を駆使して航海していた海賊たち

何の目印もない大海原で、自分の船が今どこにいて、どちらに向かって進んでいるのかを知らなければ、航海することはできない。

海賊たちが海を自由に駆け回ることができたのは、きちんとした航海術を身につけていたからだ。そのためには、まず航海で使う道具をそろえることが、海賊への第一歩だった。

航海に絶対に必要なのが、海図だ。これがないと海で迷子になってしまう。海図には世界の港や水路、入り江、岩礁の位置が書かれている。当時は未知の海域が多かったため、海賊たちは戦利品のなかに海図があると大喜びで持ち帰ったという。

方角を知るためにはがコンパスを使用した。コンパスの針は常に北を指している。海賊たちはコンパスの針を読んで方位や船が向かっている方向、およその経度を判断して、位置を確認していたのである。

もうひとつ、航海に欠かせない道具がデバイダーだ。開閉できる2本の足で海図上の距離を測り、そこから実際の距離を計算していた。海賊たちは、海図をもとにコンパスとデバイダーを使い、船の進路を決定していたのである。また、こうした作業は主に航海士が行った。

陸地や獲物を発見するのに使用したのが望遠鏡だ。陸地が見えなくても、海賊たちは雲の形や渡り鳥の様子を望遠鏡で探って、陸地がある方角や距離を知ったという。

緯度を測るために使われたのがバックスタッフである。太陽高度を測るクロススタッフを改良して発明されたもので、太陽による影の向きを測ることで、大体の緯度を知ることができた。天然の磁石であるロードストーンも必需品だった。海賊たちはこの石に針をこすりつけて、コンパスを作った。

航海に欠かせないマストアイテム

長い航海を続けるには道具が必要だった。獲物を見つけるため、または海上で迷わないよう道具を使用した。

望遠鏡

陸地や敵船をいち早く見つけるために欠かせないアイテムだった。望遠鏡で鳥や雲の動きを見て、距離を判断したり陸地の方向を判断した。

海図帳・コンパス・デバイダー

針路を決めるときに必要な道具。海図帳には港の情報や入り江の場所などさまざまな情報が記載されていた。海図をもとに、コンパスやデバイダーを使い船の方向や、航海距離などを判断した。

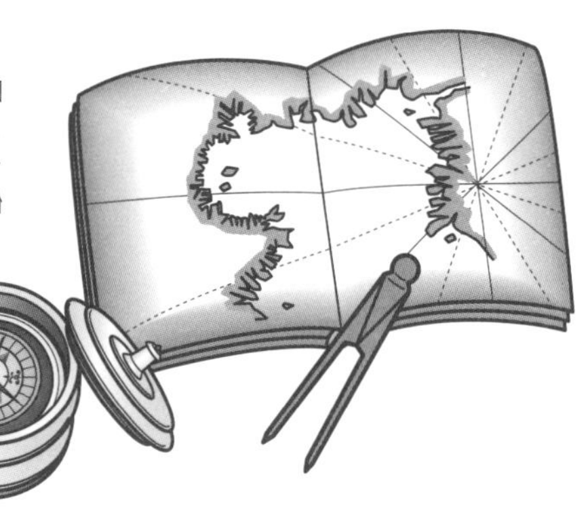

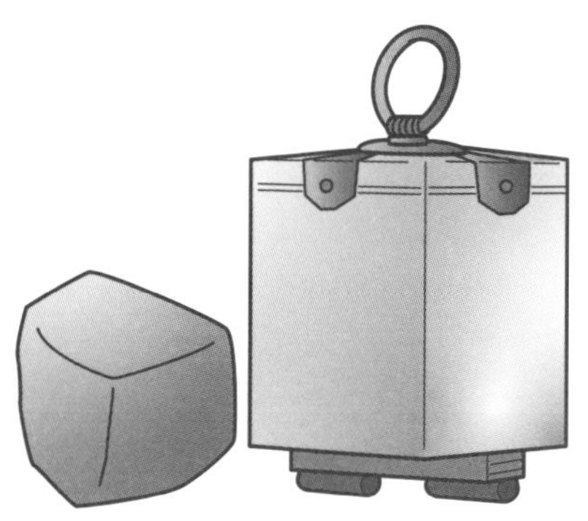

ロードストーン

磁力をもつ天然の磁石。これに針をこすりつけてコンパスを作った。貴重品だったため、なくさないよう箱に入れ飾り台に置いて保管した。

戦いと
道具の作法
その八

相手に恐怖心を与えるために ドクロマークの旗を使った

該当する時代	古代	中世	**大航海時代**	**近世**

該当する海域	**大西洋**	**太平洋**	**インド洋**

死と力を意味する海賊旗で 獲物を恐怖のどん底に落とす

海賊のシンボル、ドクロマークの海賊旗は、獲物に「俺たちは海賊だ。すぐに降伏しろ」というメッセージを伝えるものだ。

この旗は「ジョリー・ロジャー」と呼ばれ、語源はフランス語の「ジョリー・ルージュ（血のようにきれいな赤）」であるといわれている。または「悪魔」という意味の「オールド・ロジャー」がもとだという説もある。

一般的には、黒地に白いドクロ、その下にクロスした2本の骨というイメージがある海賊旗だが、実は特に決まりはなかった。その海賊船の船長のアイデアで、相手により恐怖を与えるデザインが採用されていたのだ。

海賊旗は17世紀頃から使われていた。黒髭と呼ばれるエドワード・ティーチの海賊旗は、右手に槍、左手に砂時計を握る姿が描かれていた。砂時計は「降伏しろ、時間はないぞ」という意味である。

以後、海賊たちは「死」を意味するドクロや「力」を誇示する武器などをあしらった海賊旗を掲げるようになっていった。

名だたる海賊たちの海賊旗をいくつか紹介してみよう。ジャック・ラカムの海賊旗は、ドクロの下にクロスしたカトラス。カトラスはパワーを示している。エドワード・ティーチは、右手に砂時計、左手に槍を持った人物を描いた旗だった。槍はハートマークに向けられている。「降伏しなければ心臓を突き刺すぞ」というメッセージだ。バーソロミュー・ロバーツの旗は、死人と乾杯するロバーツ。エドワード・ロウは、「待ったなし」という真っ赤なドクロの旗だった。

海賊たちは、それぞれ工夫を凝らしたジョリー・ロジャーをはためかせ、獲物を恐怖のどん底に叩き込んでいたのだ。

海賊旗

恐ろしいようで可愛らしい海賊旗

海賊旗はドクロマークが有名だが、ほかにもさまざまなデザインがあった。絵や色にはそれぞれ意味があった。

針仕事

海賊旗は海賊船の帆職人や手先が器用で針仕事のできる者が作った。

ジャック・ラカムの旗

ドクロの下にカトラスがクロスしている。ドクロは死を象徴する。

ヘンリー・エイヴァリの旗

ドクロに大腿骨を交差したデザインは死を象徴し、一般的に用いられるようになった。

トーマス・チューの旗

カトラスを掴んでいるマークで、剣は力を象徴した。

クリストファー・ムーディーの旗

ドクロ、カトラス、羽のついた砂時計のマーク。砂時計は時を表し、「早く降参しろ」という意味を持った。布は赤色で血を表わし、みな殺しを意味した。

エドワード・ティーチの旗

悪魔のような骸骨が右手に砂時計と左手に槍を持っている。槍はハートに向けられ、心臓を突き刺し血が滴っていることを示した。

column ③

ジャマイカに存在した 海賊たちの天国

今は亡き、海賊たちの溜まり場

海賊たちはジャマイカのポート・ロイヤルを溜まり場にした。1655年、イギリスがスペインからジャマイカを奪った際、ジャマイカ総督がスペイン船を襲う海賊たちを歓迎したことがきっかけだ。500隻もの船が停泊できる大きな港があったポート・ロイヤルは、カリブの海運ルートの中央に位置したため、海賊たちにとても喜ばれたという。海賊たちが持ち帰る掠奪品(りゃくだつひん)で溢れ返ったこの街は、売春宿や賭博場、居酒屋などが軒を連ねたほか、イギリス本国から貿易商人が押し寄せるなど、カリブ一番の賑わいを見せた。しかし、なかには「この街は世界で最も堕落した人間たちからなっている」といった人もいたそうだ。1692年、ポート・ロイヤルを地震と津波が襲いこの街の大半がカリブ海に沈んでしまった。

四章

西洋海賊の作法

時代によって呼び名が異なる海賊たち

古代から近世まで世界中に存在した海賊たち。時代を超えて驚異的な存在であり、歴史に大きな影響を与えた。古代ギリシャ・ローマの海賊、ヴァイキングや各国のプライベーティアと呼ばれる海賊などを紹介し、それぞれの海賊たちの暮らしや戦い、歴史の流れを解説していく。

古代ギリシャの海賊船は、全長36mの小回りの利く小型船

該当する時代 ▷	古代	中世	大航海時代	近世

該当する海域 ▷	大西洋	太平洋	インド洋

ギリシャとフェニキアによる地中海の制海権争い

古代ギリシャ時代、地中海やエーゲ海を舞台に多くの海賊たちが暴れ回っていた。紀元前8世紀頃に多数の都市国家（ポリス）が成立すると、王たちは海を行き交う船を襲って金品を奪い取るなどした。また、ほかの島や海辺の村を標的に掠奪(りゃくだつ)行為を働くこともあった。まぎれもなく海賊である。

同じ頃、海上交易の主役だったのがフェニキア人だ。現在のレバノン付近に居住していたフェニキア人は、優れた航海技術を持っていた。彼らは銀や銅、錫(すず)や琥珀(こはく)といった貴重品を船に乗せて地中海を行き来した。これを海賊たちが見逃すはずがない。スペインから輸入した銀から鋳造(ちゅうぞう)した銀貨は、とりわけ格好のターゲットとなった。

フェニキア人はギリシャ人海賊の脅威に対抗するため、自らも武装化していく。そしてギリシャと制海権を争ううちに、商人でありながら海賊行為をエスカレートさせていった。当時、戦争と海賊行為の間に確たる差異はなかったのである。また、彼らは広い範囲で活動していたため「海の遊牧民」とも呼ばれていた。移動した先々で都市を築いたのだ。彼らはフェニキア文字を各地に広め、これがアルファベットのもとになったという。

古代ギリシャの海賊が好んで用いていたのが、船足が速く小回りの利く小型のガレー船だ。敵船に追われたときでも、大型船の入れない狭い水路に逃げ込むことができる。ギリシャの交易船は、輸送力こそあったが帆船のため風頼み。オールで力漕(りきそう)して迫るガレー船からは逃れられない。海賊たちは航路上に網を張り、獲物と見ればすかさず付近の小島や入り江から出て相手の船を急襲した。高価な品々ばかりではなく、人々を掠(さら)うこともあった。裕福な者からは身代金をせしめ、できねば奴隷として売り飛ばしたのである。

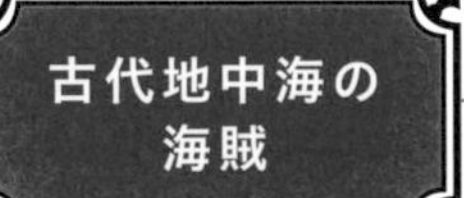

100人以上の漕ぎ手がいたガレー船

古代ギリシャ時代の海賊たちは、大きな手漕ぎ船で海上を進んだ。100人以上乗る船に乗っていた。

ガレー船

古代ギリシャやローマ時代に使われた軍艦。海賊たちも使った。船の横からオールが突き出て、内部は上段・中段・下段の3段階になり三段櫂船という仕組みになっていた。全長は約36mで横幅は約5m、漕ぎ手は170人ほどが乗っていた。時速は約17kmで海上を進んだ。

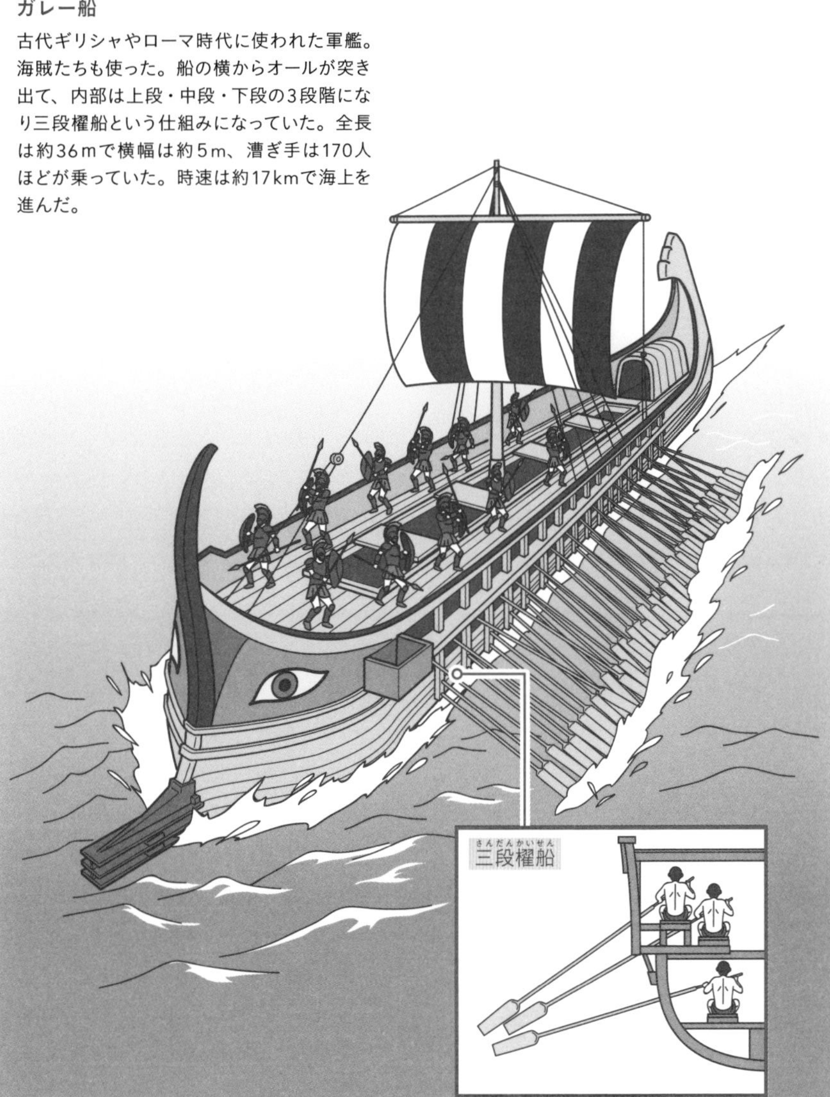

古代ローマ人を掠(さら)って身代金を要求したキリキア海賊

該当する時代	古代	中世	大航海時代	近世

該当する海域	大西洋	太平洋	インド洋

若い頃のシーザーもキリキア海賊の被害者

紀元前753年から紀元476年まで続いた古代ローマ時代、地中海には当時国として栄えたローマ帝国に対抗する海賊たちがいた。もともと彼らはローマ帝国から土地を守ろうと戦っていた者たち。そのなかで最も大きな勢力を持ちローマ人に恐れられたのが、地中海東部のキリキア地方に住むキリキア海賊である。

キリキア海賊は、1000隻以上の船を所有し地中海で活動していた。北アフリカのカルタゴや、アレクサンドリアといった地域と交易を行っていたローマ帝国の輸送船を襲ったのである。ほかにも、ローマ帝国の都市や町をも襲撃。金品を奪っただけでなく、裕福そうなローマ市民を掠(さら)っては命と引き換えに身代金を要求した。もし支払えない場合、キリキア海賊は市民に「あなたは偉大なるローマのお方。ご無礼をお許しください。お詫びとして今自由にして差し上げます」と解放をほのめかす言葉をかけてから、海に突き落としたという。ローマ人を一度喜ばせてから海で溺死させるという残酷な行為をしていたのだ。キリキア海賊が乗っていた船はガレー船（103ページ参照）だった。また、船首についた衝角という尖った部分を相手の船にぶつけ、船に穴を開けて沈めたこともあった。

古代ローマの英雄と知られる政治家、ジュリアス・シーザー（ガイウス・ユリウス・カエサル）も紀元前75年頃にキリキア海賊に捕らわれたことがあった。身代金が支払われるまでの5週間、拘禁状態に置かれたシーザーは、釈放後に復讐のため一味をひとり残らず磔(はりつけ)にした。

このように地中海を暴れ回っていたキリキア海賊は、ローマ帝国にとって排除すべき対象だった。政府が大艦隊を派遣し、キリキア海賊の本拠を陥落させるまで続いた。

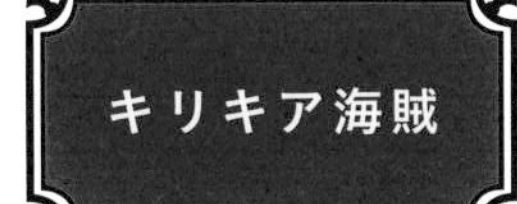

ローマ帝国から恐れられたキリキア海賊

ローマ帝国に反抗したキリキア人たちは海賊になった。ローマの船を襲い、地中海を暴れ回った。

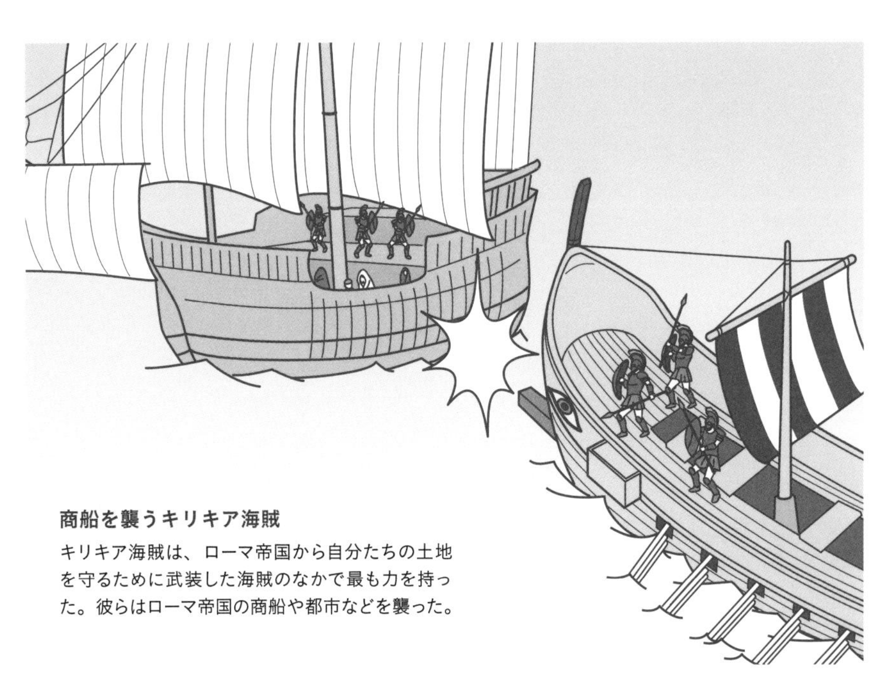

商船を襲うキリキア海賊

キリキア海賊は、ローマ帝国から自分たちの土地を守るために武装した海賊のなかで最も力を持った。彼らはローマ帝国の商船や都市などを襲った。

ローマ人を突き落とす

襲った商船にいるローマ人に、命と引き換えに身代金を要求し、拒否した者は容赦なく殺した。ローマ人に対し、「偉大なるローマ人は自由にしてあげる」と喜ばせたあとで海に突き落としたという。

ヴァイキングがかぶっていた角つき兜は後世の創作だった

該当する時代 ▷	**古代**	中世	大航海時代	近世

該当する海域 ▷	**大西洋**	太平洋	インド洋

海を越え、川を遡り掠奪の限りを尽くす侵略者

8〜11世紀、西ヨーロッパ沿岸を荒らし回ったのがヴァイキングと呼ばれる海賊集団だ。長く厳しい冬が続く北ヨーロッパのスカンジナビア半島は、農業に不向きな土地。ゆえに人々は交易で生計を立てる一方、住みやすい土地を求め、海へと乗り出していった。当地では、ヴァイキングは「海を越えて遠征する」ことを意味するという。

ヴァイキング船に乗り込むのは、最大で50人にも及ぶ屈強の男たち。彼らは沿岸を往来する船を襲うだけでは飽き足らず、川を遡って内陸深くへと侵略の手を伸ばしていった。時には町や村の住人を殺し、掠奪した土地に自分たちの国を造る者もあったという。ヴァイキングが特に狙ったのが、キリスト教の教会や修道院であった。高価な装飾品や財宝が貯えられていたからである。

造船技術に優れるヴァイキングが操る船は、ロング・シップと呼ばれる大型の木造船だ。長方形の大きな帆を持ち、16〜20人の漕ぎ手がオールを使い分けて進んで行く。軽量構造のため、快速かつ操船に優れているのも特徴のひとつ。船底が浅いのも利点で、場所を問わずほとんどの海岸に上陸できた。一方で荒れた海でも平気なように竜骨（強度を上げるため船首から船尾まで船底を貫くように配した部材）を備えており、沿岸を航行するほかの船を尻目に外洋に乗り出すことができた。

敵を威嚇するための竜の形をした彫刻、縁側に飾られた金や銀の盾といった意匠はヴァイキング船ならでは。このような個性的な船を数十隻も連ね、大船団で行動することもあった。

こうした優れた航海技術により、戦闘でも優位に立つことが多かったという。長期にわたり活動していたヴァイキングたちの強さの秘訣はここにあるといえる。

ヴァイキング船

浅い川も荒い海も難なく進んだヴァイキング船

ヴァイキングの船は頑丈な作りになっていて、高速で海上を移動することができた。

ヴァイキング船

ヴァイキングが使用していた大型の木造船。頑丈な作りになっていて、北海の荒れ狂う波にも耐えた。船体は細長く船底は浅いため、浅い海や川も高速で進むことができた。船首が竜の頭のような形になっているのが特徴的。帆とオールを使い海上を進んだ。

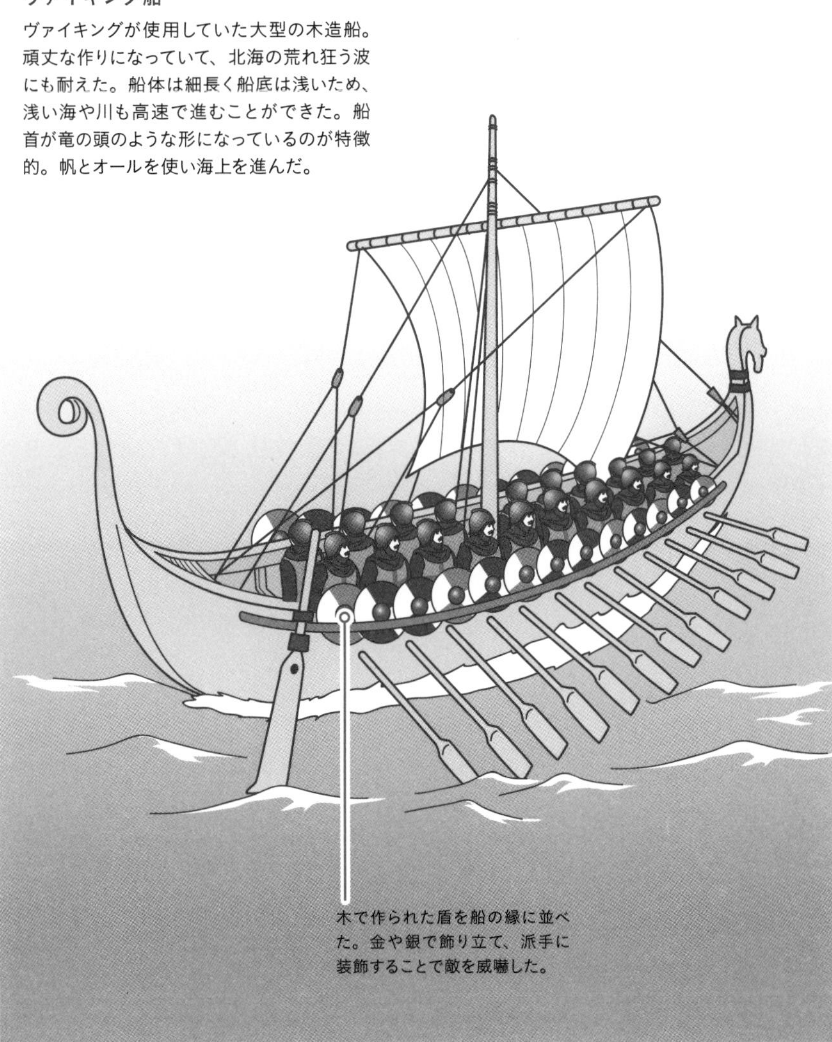

木で作られた盾を船の縁に並べた。金や銀で飾り立て、派手に装飾することで敵を威嚇した。

武具

戦闘装備も完璧だったヴァイキングたち

戦うことが多かったヴァイキングは武器や防具もさまざま。剣は神聖な武器だった。

武器と防具

ヴァイキングがよく使った武器は剣や斧、槍、弓矢だった。防具として鉄でできた兜や鎖帷子(くさりかたびら)を身につけた。盾は円形で中央部に鉄芯があり、盾を持つ手を守った。

弓矢

鉄製の矢じりがついた弓。遠距離の戦闘で活躍した。

斧

幅の広い刃が特徴的で、下部の突き出ている部分を敵の武器や体に引っ掛けて殴るなどした。

槍

投げる槍と突く槍があった。飛んでくる槍を掴み相手に投げ返す技もあった。

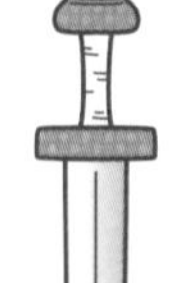

剣

ヴァイキングたちが最も大切にした武器。主要武器として使う一方、神聖なものとして父から子へ代々受け継がれていく家宝でもあった。

海賊FILE

角つき兜をかぶっていなかった!?

ヴァイキングたちは角つき兜をかぶっているイメージが強いが、遺跡からこのような兜は出土していなく史実ではない。こうしたイメージは後世になってヴァイキングの風俗画によって伝わったと考えられている。

掠奪行為だけではない暮らし

海賊としてのイメージが強いヴァイキングだが、征服した国で農業をしながら平和的に暮らしていた。

普段は農民だった

海賊稼業をしていない間、ヴァイキングたちは農場を営み、農耕や牧畜、衣料生産、大工、鍛冶などをして暮らしていた。

階層は3つあった

ヴァイキングは、族長、自由民(農民)、奴隷の3つの階層に分かれていた。厳格な掟があり、奴隷は武器を持つことを許されなかった。

船の火葬を行った

船長などのリーダーは遺体を船のなかで焼いた。生前愛用した船が華やかな冥界に連れて行ってくれると信じられていた。

脱色して金髪にした

男性はアルカリ成分を多く含む石鹸でダークブラウンの髪を脱色し金髪にしていた。理由は諸説あるが、頭に付く虫を退治するためだったという説もある。

西洋海賊の作法 その四

キリスト教徒を奴隷市場で売り飛ばしたバルバリア海賊

該当する時代	古代	**中世**	大航海時代	近世

該当する海域	**大西洋**	太平洋	インド洋

キリスト教徒の船を襲撃し地中海航路を恐怖に陥れた

ユダヤ教、キリスト教、イスラム教の聖地エルサレム。9世紀頃からイスラム勢力が支配していたこの地を、奪還するべくキリスト教が派遣したのが十字軍だ。11世紀に始まる十字軍の遠征をきっかけに地中海貿易が盛んになると、アフリカのバルバリア沿岸に住むイスラム教徒たちが航路を行くキリスト教徒の商船を襲い始めた。これをバルバリア海賊と呼ぶようになったのは16世紀以降のこと。非情な海賊は、アラブの優れた金属工芸技術により生み出された美しい剣を振るい、キリスト教徒たちを恐怖に陥れた。

バルバリア海賊が狙ったのは金品だけではない。船に乗り組んだキリスト教徒も獲物となった。捕虜となると彼らは衣服を剥がれ、奴隷としてガレー船の漕ぎ座につかされる。そして食事もろくに与えられず、1日に10〜12時間もオールを漕がされるのだ。その過酷さに多くの者が命を落としたが、海賊にとって奴隷は消耗品。力を抜けばむちで打たれて海に蹴落とされた。また、死ねば別の船を襲って死んだ奴隷の補充をした。そして船が港に戻ると、身代金を取れる者は解放され、残りは奴隷として売り飛ばされた。

当時は「奴隷市場」という市場が存在し、奴隷たちはそこで競売にかけられた。市場では奴隷たちが一列に並んで歩き、商品としてじっくり観察された。

彼らが襲撃した場所は、バルバリア沿岸だけではなく、地中海を抜けてアイスランドやアイルランドの沿岸も攻撃の対象だった。多くの人々を恐怖に陥れたバルバリア海賊だが、海賊のウルージとハイレッディンのバルバロッサ（赤髭）兄弟はイスラムの英雄として名を知られている。彼らはスペイン軍を何度も敗走させ、地中海の制海権をほぼ掌握。そのおかげでオスマン帝国の最盛期を築き上げたのである。

バルバリア海賊

船の漕ぎ手はキリスト教徒たちにやらせた

バルバリア海賊は、キリスト教徒の商船を襲うと彼らを奴隷にした。港に着くまでの間、船を漕がせた。

バルバリア海賊のガレー船

バルバリア海賊は、ガレー船に乗りイタリアの港から来る商船を狙った。古代ギリシャ海賊が使用していたガレー船より動きやすく大砲を装備できた。敵の船に近づくと100人にも及ぶ精鋭が一斉に船に乗り移り襲った。

キリスト教徒たちを奴隷に

キリスト教徒の船を捕まえると奴隷にし、服を剥ぎとり船の漕ぎ手にした。奴隷たちは過酷な生活で命を落とす者が多かった。

残酷な処刑

逃げ出したり反抗した奴隷は残酷な罰を受けた。耳を削がれ、火で焼かれ、串刺しにされたりと、多大な苦しみを与えられながら殺された。

騎士団とタッグを組んでバルバリア海賊と戦ったコルセア

該当する時代 ▷	古代	**中世**	大航海時代	近世

該当する海域 ▷	**大西洋**	太平洋	インド洋

2大宗教の対立が激化 海賊には海賊を！

聖ヨハネ騎士団は、キリスト教徒の聖地であるエルサレムと、そこを訪れるキリスト教徒たちを守るために編成された騎士団だ。当初は病院や宿泊施設の運営を主な任務としていたが、13世紀末になるとイスラム勢力に押されて戦況が悪化し、やがて騎士団は軍事的な性質を帯びるようになっていく。さらに16世紀、マルタ島に本拠を移したあとは、キリスト教徒を海賊として雇い入れ、騎士団の旗の下にイスラムの船を襲わせた。この海賊たちをコルセアという。彼らは私掠船（しりゃくせん）（敵国の船を襲うことを許された船）という意味でそう呼ばれ、表向きは海軍を装いバルバリア海賊と対峙した。

コルセアたちはバルバリア海賊と戦い、イスラム教徒の船を襲い、金品を奪い取り、イスラム教徒を捕まえて奴隷にした。聖ヨハネ騎士団に買われた奴隷は危険を伴う作業を、コルセアに買われた奴隷はガレー船の漕ぎ手として働かせたという。

コルセアのガレー船はイスラムの海賊船に似ていたが、2枚の大きな三角帆を持ち、オールは少ない。とはいえ推進力がオール頼みであることに変わりはなく、漕ぎ手はもちろん奴隷だった。ただ、その扱いの酷さたるや、イスラム教徒がキリスト教徒の奴隷に対してとった以上のものがあったという。船内では、3m×1.2mほどしかない狭い漕ぎ座に7人の奴隷が繋がれる。オールを漕ぎ続けて疲れた心身を休めようにも、体を伸ばして寝ることさえできなかった。

このように、コルセアと聖ヨハネ騎士団は互いに協力しながらイスラム教徒たちを襲った。騎士団が指揮をとっていた初期の頃は、まだ神への奉仕の精神が残っていたという。時代が下るにつれ、掠奪（りゃくだつ）などの海賊稼業そのものを目的とするようになった。

コルセア

コルセアは私掠船の意味を持った

聖ヨハネ騎士団に雇われた海賊コルセアは、敵対しているイスラム教徒を奴隷にした。

コルセアと聖ヨハネ騎士団

キリスト教徒の海賊であるコルセアはバルバリア海賊と戦った。マルタ島のキリスト教徒たちを守る聖ヨハネ騎士団を後ろ盾に、イスラム教徒の船を襲い海賊行為を繰り返した。コルセアは騎士団が使っていた黒い鎧をかぶっていた。

コルセアのガレー船

コルセアのガレー船は、バルバリア海賊のガレー船と似ていたが、バルバリアよりも頑丈で、多数の大砲を装備していた。

国家公認のやりたい放題の海賊・プライベーティア

該当する時代 ▷	古代	中世	**大航海時代**	近世

該当する海域 ▷	**大西洋**	太平洋	インド洋

掠奪(りゃくだつ)の限りを尽くしながら騎士(ナイト)の称号を得た者も

16 世紀になると、大西洋にプライベーティアという海賊が登場した。これは国家公認の海賊のことで、15世紀半ばに始まった大航海時代にスペインがアメリカ大陸を開拓し始めたことがきっかけに誕生した。当時アメリカは未開拓の土地で、たくさんの金銀や宝石で満ち溢れていた。スペインは、新大陸からもたらされる財宝を独占しようとしたのである。

これを面白く思わないのが、フランスやイギリス、オランダなどのほかのヨーロッパ諸国。そこで海賊たちに、掠奪した財宝の一部を国に献上することを条件に、海賊行為を認める私掠船(しりゃくせん)免状(めんじょう)を与え、敵対する国の船を襲撃することを許可した。こうして各国のプライベーティアが海で暴れ始めるようになったのである。

本来、許可されているのは敵国の船を襲うことだけだが、それはあってないようなルール。相手の国籍かまわず海賊行為に及ぶ者が大半だった。初期のプライベーティアは、40～50人乗り小型船を使っていた。それが1588年頃になると、100～300トンの大きな商船を用いるようになる。敵船ごと強奪するには、その船を動かす人員も多く必要だったからだ。

著名なプライベーティアに、イギリスのフランシス・ドレイクがいる。ドレイクは世界一周など数々の冒険の傍ら、莫大な富を手に入れた。そして、女王エリザベスⅠ世に王室の債務を完済させるほどの財宝を献上し、騎士の称号を与えられた（16ページ参照）。

こうして大西洋では、16世紀から18世紀にかけて各国のプライベーティアたちが商船を襲い財宝を奪い合った。この争いはときに国同士の外交問題につながり戦争になったことも。国家公認の海賊のため、やりたい放題の海賊たちだった。

国家に認められた海賊もどきの海賊？

新大陸の財宝を手に入れるため、敵国の船を襲うことが許可された国家公認の海賊がいた。

敵対する国の船を襲うプライベーティア

スペイン船を襲ったフランスのプライベーティアは、金や銀、宝石のほか、豪華な衣装や装飾品などを掠奪した。船には生きたままのジャガーまでいたという。

私掠船免状

プライベーティアは敵国の船を襲うことを許可する許可書を持っていた。この許可書を不正に買い取って、一般の商船を襲う海賊もいたという。

プライベーティアは第二の海軍だった

初期のプライベーティアの船は動きやすいよう小型のものが多かった。スピードが早く船を襲うのに都合がよかった。

プライベーティアの船

初期のプライベーティアは出資者がなく小型の船を使用していた。

船底が低く、スペイン船より小回りが利き素早く移動できた。

「停泊せよ！」と交渉することも

船長は、近づいてくる船を見つけると望遠鏡を使って国籍を確認した。船に近づくとメガホンで「停泊せよ！」と声をかけ停泊を命じた。いきなり襲うよりも交渉して降伏させることもあった。

冒険の成功を祈って乾杯

18世紀のプライベーティアの船長たちは、出航前に冒険の成功を祈って乾杯するのがお決まり。グラスには「プライベーティア、コーンウォール公の成功のために」と刻まれていた。

プライベーティア③

仏・英・蘭のプライベーティア

商船を襲うプライベーティアは各国に存在した。カリブ海を拠点に活動していた。

先住民たちと交易するフランス

フランスのプライベーティアはカリブ海の小島にいる先住民と交流していた。物資を運び貿易を行ったところ、先住民たちは喜び海賊を受け入れたという。

活躍した海賊が多いイギリス

フランスが内戦で勢いを失い始めると、イギリスのプライベーティアが登場した。なかでもフランシス・ドレイクやジョン・ホーキンスら船長は有名。

スペインと交易しながら襲うオランダ

イギリスの次にオランダのプライベーティアもスペインの財宝船を狙った。スペイン領でたばこや真珠などの売買を行いながらスペイン船を襲ったため、のちに戦争に発展した。

海賊FILE

プライベーティアが襲った場所

各国のプライベーティアはアメリカ大陸沿岸を主な活動拠点とした。財宝船はベラクルスなどの港で財宝を積み込み、プライベーティアは出港したばかりの船を襲った。

お宝の争奪戦！　カリブ海に続々と集まった海賊

該当する時代	古代	中世	**大航海時代**	近世

該当する海域	**大西洋**	太平洋	インド洋

海賊たちのターゲットはスペイン船が運ぶ新世界の富

ヨーロッパ人が発見した大陸や土地を新世界と呼んだ。最初に新世界アメリカに進出したスペインは、カリブ海沿岸地域に移住。原住民たちから、手当たり次第に財宝などを奪い取るようになる。北アメリカと南アメリカにまたがるこうしたスペインの支配地域の名が、スパニッシュ・メインである。

16世紀から18世紀にかけて、スパニッシュ・メインから多くの高価な品々が運び出されていった。金や銀、宝石、香辛料、木材などである。そこには今でいうビジネスは存在せず、一方的な掠奪（りゃくだつ）があるだけ。古くからメキシコにはアステカ、ペルーにはインカといった文明が存在していたが、ヨーロッパから来た侵略者はこれらを容赦なく征服していった。

スペイン人は、金銀を少しでも多く持ち帰るため、潰したり溶かして船に積み込んだ。スパニッシュ・メインから流れ込む莫大な富は、ほかのヨーロッパ諸国をも刺激。間もなく各国の意を受けたプライベーティアが、財宝を積んだスペインの船を襲うようになる（114ページ参照）。加えて海賊たちの動きも活発化。金銀財宝に目がくらんだ者たちが、カリブ海に殺到する事態となった。

スペインが支配地域から奪い取った財宝は、約200人が乗り組むガレオン船で運び出された。最高60門の大砲を搭載、船体も頑丈な半面、風頼みで小回りが利かない欠点もある。そのため、小型で敏捷（びんしょう）なプライベーティアには手を焼いた。こうした海賊の襲撃への対抗手段として、スペインの財宝船は100隻にのぼる大船団をスパニッシュ・メインに送り込んだという。スパニッシュ・メインが誕生したことにより、カリブ海周辺はたちまち海賊たちの溜まり場と化す。カリブ海の海賊たちの始まりとなった。

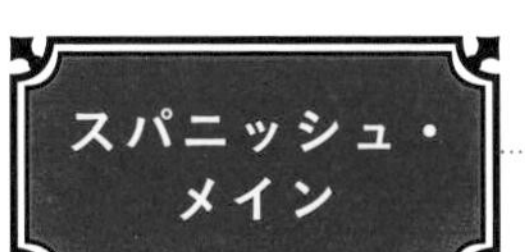

スペインが支配権を握っていた海域があった

北アメリカと南アメリカにまたがるスペインが支配していた海域はスパニッシュ・メインと呼ばれた。

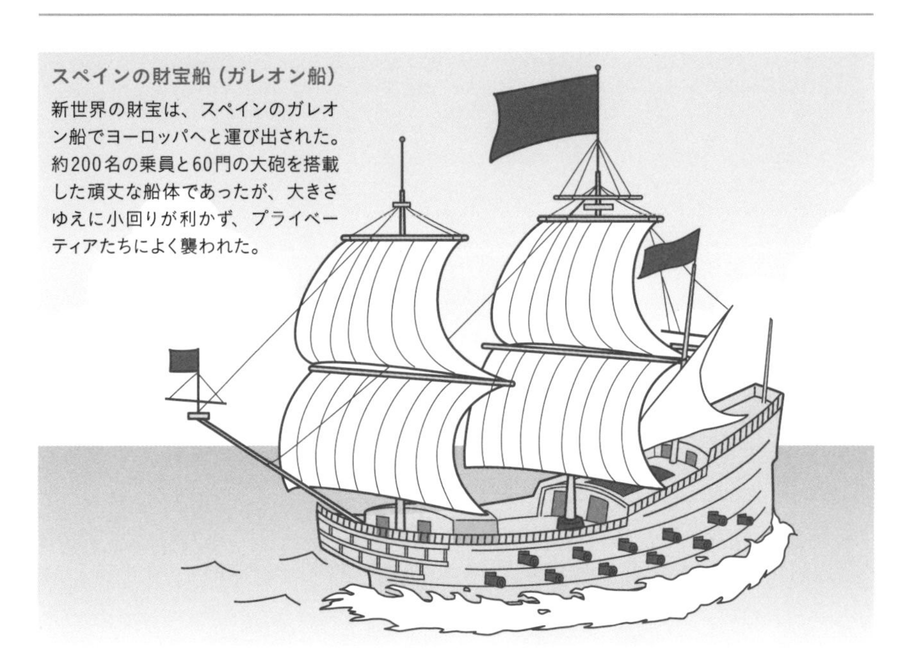

スペインの財宝船（ガレオン船）

新世界の財宝は、スペインのガレオン船でヨーロッパへと運び出された。約200名の乗員と60門の大砲を搭載した頑丈な船体であったが、大きさゆえに小回りが利かず、プライベーティアたちによく襲われた。

ペルー王国を支配

スペインは、中・南米に栄えたアステカ、インカ国家を侵略した。ペルーの国王は全財産を身代金として要求され、渡したあと殺害された。

財宝を奪い取る

スペインはアステカやインカ王国の財宝や黄金を手に入れた。できるだけ持ち帰ろうと、美しい金工芸品を溶かしたり潰して持ち帰ったという。

生きたまま舌を引き抜く！ 極悪非道のバッカニア海賊

該当する時代 ▷	古代	中世	大航海時代	**近世**

該当する海域 ▷	**大西洋**	太平洋	インド洋

生きたまま胸を切り裂き 心臓を取り出す残忍さ……

16世紀から18世紀にかけて、スパニッシュ・メインと呼ばれるカリブ海沿岸地域に続々と海賊たちが集結(118ページ参照)。17世紀半ば〜18世紀序盤は、海賊たちが暴れ回った黄金時代といわれ、その前半の主役となったのがバッカニア海賊だ。

彼らは、もともとヨーロッパからカリブ海のイスパニョーラ島に移り住んだ海賊たちで、島流しにされた政治犯や宗教犯、逃亡した罪人たちも含まれていた。貧しいなかで狩猟を生業にし、燻製肉などを物々交換して暮らしていたのである。しかし、カリブ海沿岸をスペイン人の統治により、彼らは島から追い出されてしまう。多くの人たちがスペイン人に殺され残酷な扱いを受けた。彼らは結束してスペインの船や街を襲撃。手当たり次第に船を襲い、町では家を壊したり、火を放ち金品を掠奪(りゃくだつ)したりした。そして、さらに一儲けしたい人たちが加わり、こうしてバッカニア海賊が誕生したのである。

残酷さをもって知られる彼らのうち、ひときわ目立ったのがフランソワ・ロロノアだ。拷問の際、捕虜を八つ裂きにしたり、舌を抜くこともいとわなかったという。ほかに、バッカニアのなかでも最悪といわれたのが、ヘンリー・モーガンだ。1670年に40隻の船団と2000人のバッカニアを従え、スペインの植民地パナマを襲撃。町が壊滅状態に陥るほど大暴れした。

イギリスやフランスはバッカニアに私掠船免状(しりゃくせんめんじょう)を与えてプライベーティアとし、スペイン船を合法的に襲わせた。しかし17世紀末になると、両国はカリブ海に植民地を確保するようになり、バッカニアはお役御免となった。スペイン軍との戦いがきっかけでカリブ海で暴れ回ったバッカニア海賊の時代は追われる身となり、終焉を迎えることになった。

バッカニア

スペイン軍との戦いから海賊になった

私たちがイメージする海賊はバッカニア海賊がモデルとなっている。彼らはもともと狩猟者だった。

バッカニアの蛮行

カリブ海でスペイン軍と壮絶な戦いを繰り広げた海賊がバッカニアだ。罪人などの無法者たちから構成された彼らは手あたり次第船を襲い、町では金品を奪い、殺人を繰り返すなど好き放題に暴れ回った。

バッカニアの語源

バッカニアは牛肉や豚肉を燻製にして生計を立てていた。燻製肉を「ブカニエ」と呼んだことからバッカニアという名前が生まれた。

海賊FILE

フランソワ・ロロノア

バッカニアの海賊で最も残酷な男と知られていた。捕虜を拷問し八つ裂きにしたり、捕虜の心臓を抉り出して、別の捕虜の口に突っ込んだという説もある。

西洋海賊の作法
その九

マダガスカル島で贅沢三昧！インド洋の海賊・マルーナー

該当する時代	古代	中世	大航海時代	**近世**

該当する海域	大西洋	太平洋	**インド洋**

マダガスカル島を拠点に狙うは東インド会社の商船！

カリブ海が安住の場所ではなくなった海賊たちが、次なる狩り場としたのがインド洋だ。太平洋、大西洋と並ぶ世界三大洋のひとつである。

17世紀末のインド洋は、ムガール帝国（現在のインド付近にあったイスラム国家）の財宝船や、東インド会社の大型商船が行き交う重要航路だった。東インド会社は、17世紀を中心に活動した対アジア貿易を目的とした勅許会社（国の許可を得た会社）。イギリスを皮切りに、オランダ、デンマーク、フランスと、ヨーロッパ諸国が先を争うように設立した。

財宝を積んだ船を襲うため、海賊たちが拠点としていたのがアフリカ大陸の東にあるマダガスカル島だ。まだヨーロッパ人が入植していないだけでなく、格好の地理的条件も備えていたからである。ヨーロッパの交易船は、喜望峰を回るとインドまたは中国のいずれかへ向けて航路を取る。どちらの航路をとるにしても、マダガスカル島から数百マイルの海域を通り抜けなくてはならなかった。

海賊が主なターゲットとした東インド会社の船は、アジアへ金や銀を運び込み、代わりに中国の美しい陶器や絹、スパイスなどを積んでヨーロッパへと帰っていく。そのために必要だったのが巨大な船倉だ。長期間に及ぶ航海に備えて、乗組員の食糧も大量に積んでいる。これが足枷となった。巨体ゆえに船足が遅く、小回りが利かない。そのせいで、たびたび海賊船の餌食となった。

インド洋の海賊たちは我が世の春を謳歌。キャプテン・キッドやヘンリー・エイブリーといった後世に名を知られた海賊も現れた。海賊たちにとって楽園だったマダガスカル島で、掠奪した財宝に囲まれ、お酒を飲みながら自由に過ごしたという。

カリブ海の次はインド洋の船を狙った

バッカニア海賊はカリブ海を追われると、インド洋に逃げ込んだ。彼らはマルーナーと呼ばれるようになった。

標的は東インド会社の船

カリブ海を追われたバッカニアは、インド洋のマルーナーとして海を荒らし回った。彼らは主に、ヨーロッパとアジアを行き来する東インド会社の貿易船などを襲い、財宝を奪った。

財宝

中国の美しい陶器や、スパイス、高価な宝石などを掠奪した。インド洋を行き交う交易船はカリブ海にも負けないほど財宝に溢れていた。

楽園のマダガスカル島

当時は未開の地だったマダガスカル島は、海賊たちにとって楽園だった。島の女性を好きなだけ妻にして、財宝に囲まれ贅沢に暮らしたという。

西洋海賊の作法 その十

イギリス船を狙ったコルセアは、フランスの英雄的存在だった

該当する時代	古代	中世	大航海時代	**近世**

該当する海域	**大西洋**	**太平洋**	**インド洋**

海賊のおかげで繁栄したフランスの港町サン・マロ

ヨーロッパに戦火の絶えるときはなく、特にフランスとイギリスは断続的ではあるが長く敵対関係にあった。その間、フランス国家から私掠船免状(しりゃくせんめんじょう)を得たコルセア（英名「プライベーティア」）は、イギリスの商船に対する襲撃を繰り返した。

その行為自体は海賊そのものであっても、フランス人から見ればコルセアの行動は愛国的な活躍に映る。加えて掠奪(りゃくだつ)によって得た富が国家にもたらされるに至り、コルセアは国民から英雄視されるようになった。

英仏を隔てるイギリス海峡に面したフランスのブルターニュ地方に、サン・マロという港町がある。フランス人はこの地をコルセアの街と呼んだ。コルセアの基地として、掠奪品によって成長を遂げた街だからである。

街の住人にとって、コルセアは親から子へと受け継がれる生業でもあった。23年間に戦艦16隻と商船330隻を餌食にしたフランスで最も著名なコルセア、レネ・デュゲ・トルアンも出身者のひとりだ。17世紀末から18世紀にかけて活躍したデュゲ・トレアンに遅れること1世紀。やはりサン・マロに生まれたロベール・サーコフも、インド洋で海賊活動を展開して有名になった。こうしてサン・マロは、国王ルイ14世から戦費の借入を申し込まれるほど繁栄を極める。

サン・マロと並ぶコルセアの基地となったのがダンケルクだ。イギリス海峡や北海で活動したジャン・バールもこの地の出身。ヨーロッパ列強が古くから領有を争った港湾都市で、17世紀半ばにフランスの領地となった。

海賊とはいっても、町の繁栄に大きく貢献し国民たちから親しまれていたフランスのコルセア。彼らは19世紀にフランスが海軍を有するまで、隆盛を誇った。

コルセアの戦利品で街が豊かになった

17世紀に活躍したフランスのプライベーティアをコルセアという。港町は海賊の戦利品により栄えることとなった。

サン・マロ

コルセアはサン・マロの港町を基地にした。コルセアが持ち帰る戦利品で街は栄え、敵対するイギリス人から「蜂の巣」と呼ばれていた。

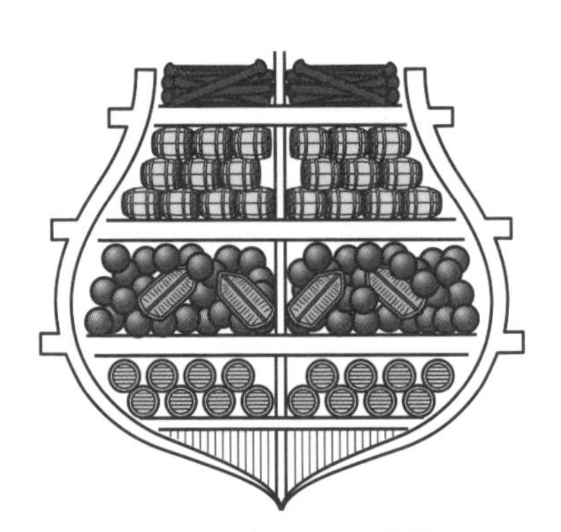

失敗に終わったイギリスの爆弾計画

イギリスはサン・マロを壊滅させるために、全長26mの船に爆発物を大量に積め込んだ爆弾を作った。しかし、攻撃の夜、港に接近したものの、船は岩にぶつかり沈没。火薬が湿気り猫一匹を殺しただけに終わったという。

海賊FILE

サン・マロの英雄 レネ・デュゲ・トルアン

フランスの最も有名なコルセア。300隻もの商船を獲物にするなど大きな功績をあげた。サン・マロの町を豊かにしたことから、国民から英雄と称えられた。

西洋海賊の作法 その十一

海軍よりも頼もしかった アメリカのプライベーティア

該当する時代	古代	中世	大航海時代	近世

該当する海域	大西洋	太平洋	インド洋

アメリカ海軍の主力として イギリスと戦った海賊たち

太平洋の海賊の歴史は、植民地からの富を運ぶスペイン船を狙うイギリスのプライベーティアに始まる。その後、17世紀末になるとカリブ海を追われたバッカニアが、一時的に太平洋を荒らし回った。新世界と呼ばれた南北アメリカは、ヨーロッパ列強による植民地政策のあおりを受け、常に海賊の脅威にさらされていたのだ。

アメリカがイギリスからの独立を目指して戦った独立戦争（1775～1783年）。この戦いで海軍力に勝るイギリスに対抗するため、アメリカが白羽の矢を立てたのがプライベーティアだ。参戦したアメリカ側艦船はわずか34隻。その13倍のプライベーティアが海軍に加わった。独立戦争最大の英雄ジョン・ポール・ジョーンズも、プライベーティアのひとり。イギリス本国の沿岸地帯を襲撃し、多大な戦果をあげている。

当時のアメリカ最大の港湾都市フィラデルフィアは、独立宣言が起草された都市でもある。ここから多くのプライベーティアが船出した。天然の良港として知られる造船の街ボルチモアも、戦争初期にはプライベーティアの拠点となった。当初、海賊船は商船を改造したものが用いられていたが、のちに専用の船が造られるようになる。

なかには、隠れてアメリカ沿岸を行き交う商船や輸送船を襲う者もいた。私掠行為を許可された者たちが、反対に本職の海賊行為に及ぶのはいつの時代も同じ。ニューオリンズ防衛で功績を挙げたジャン・ラフィットも、アメリカ船から掠奪（りゃくだつ）を行ったり、奴隷貿易にも手を出していた。

アメリカのプライベーティアたちは、アメリカが各国の支配から独立し自由を勝ち取るために必要な戦力でもあった。アメリカは独立後も、プライベーティアを採用し、海軍の力を強めた。

アメリカ独立戦争で活躍したプライベーティア

アメリカのプライベーティアに船を奪われたイギリスは、彼らとアメリカ海軍を「海賊」と呼んだ。

イギリス商船を襲うアメリカのプライベーティア

イギリスと戦っていたアメリカ軍は、プライベーティアの力を借りてイギリスの商船を襲った。イギリス人たちは、アメリカ海軍も「海賊」と一緒くたにした。

掠奪品

プライベーティアは、アフリカからアメリカに向かう船を獲物にして、象牙や砂金などを奪った。

海賊FILE

海賊と呼ばれた軍人 ジョン・ポール・ジョーンズ

もともと軍人だったが、イギリス軍を果敢に襲撃したため「海賊」と呼ばれるようになった。独立戦争で活躍し、イギリス艦隊を降伏させたため、一躍国民の英雄となった。

西洋海賊の作法 その十二

蒸気船を初めて見た海賊は船が燃えていると勘違いした

該当する時代	古代	中世	大航海時代	近世

該当する海域	大西洋	太平洋	インド洋

19世紀になると世界各地で海賊討伐の機運が高まる

私掠船免状(しりゃくせんめんじょう)があろうと、プライベーティア、コルセアの本質は海賊である。それでも植民地政策で出遅れたヨーロッパ列強にとって、一定の存在意義があったのも確かだ。しかし先行するスペインの国力が弱まり、列強が各地に植民地を得るようになると話は違ってくる。海賊たちが邪魔になった国々は一転、討伐に乗り出した。

1722年、イギリス海軍は大物海賊バーソロミュー・ロバーツ一味と交戦し、バーソロミューを打ち取った。心酔する船長の死にショックを受けた手下たちは次々に降伏。一味264人のうち165人が法廷に引き出され、有罪91人中52人が死刑宣告を受けて絞首刑になった。海賊黄金時代の終焉を象徴するできごとである。

地中海を荒らし回ったイスラムのバルバリア海賊は、18世紀末〜19世紀初頭のナポレオン戦争の間に再び活発化した。すると戦後、欧米諸国はこれを掃討するべく継続的に軍事行動を起こす。ヨーロッパ人に対する海賊行為を抑え、キリスト教徒を奴隷化する行為を終わらせるのが主たる目的だった。戦時中こそ、北アフリカのバルバリア諸国には補給地としての存在意義があったが、平和が戻ればその必要がなくなったというのも大きい。

1856年、ヨーロッパの主要国は、私掠船免状を禁止するパリ宣言に調印。以後、敵対国相手でも掠奪(りゃくだつ)は純粋に海賊行為と認識され、取り締まり対象となった。それでも小規模な海賊活動は行われていたが、蒸気機関の登場が決定的な一打となった。イギリスとアメリカは蒸気機関を動力とする軍艦を建造。風に頼らぬどころか、向かい風でも高速航行が可能になる。海賊が操る船は、いかに快速といってもしょせんは帆船。逃げてもすぐに捕まり、あっという間に数を減らしていった。

巨大軍艦にはかなわなかった海賊船

5000年にわたって続いた海賊の歴史は、技術の進歩によって一旦幕を閉じた。巨大な軍艦が海賊船を次々と捕まえた。

イギリス海軍が海賊を討伐

19世紀に入ると、イギリス海軍は巨大な軍艦で海賊たちを襲い次々と捕らえた。砲力で海賊船を圧倒し、海賊たちはなすすべがなかった。

海賊の処刑

有名な海賊船の船長は逮捕されたのち処刑され、首が船首に吊るされた。ほかの海賊たちへの見せしめとなった。

蒸気船

蒸気機関で動く軍艦が登場し、帆船である海賊船を簡単に捕まえることができた。初めて蒸気船を見た海賊は、船が燃えていると勘違いしたという。

column ④

無法者の海賊も正当なビジネスをしていた

海賊たちが魅了されたスパイス

16世紀から18世紀頃、海賊たちは海で掠奪(りゃくだつ)行為を繰り返していた一方で、スパイス貿易にも目をつけていた。スパイスは医薬品にも使用され、胃腸や肝臓などの内臓に効果があったほか、下痢止めなどにも使用される万能薬だったという。こうして健康に役立つことが立証されたスパイスは、料理に用いられるようになり今に至る。現在、スパイスは簡単に手に入るが、当時は入手困難な代物であり、海賊たちはスパイスを入手するために2年以上もの時間をかけて航海を続けた。道半ばで難破した船も数多く存在するという。彼らは命がけでスパイスの採取に勤しんだのだ。加えて、医薬品としても効果が見込めるとなれば、スパイスは海賊たちにとっては一獲千金も狙えるほどの宝だったというわけだ。

五章

東洋海賊の作法

日本やアジアにもいた海賊

海賊は日本や中国、東南アジアにも存在し、日本は沿岸地域に海賊たちがたくさん集まっていた。中世以降自ら「海賊」と名乗り活躍するようになったのである。日本において海賊とは権力にも対峙する海の統治者の異名を持つ。本章では、アジア地域の海賊事情を、歴史を追いながら解説していく。

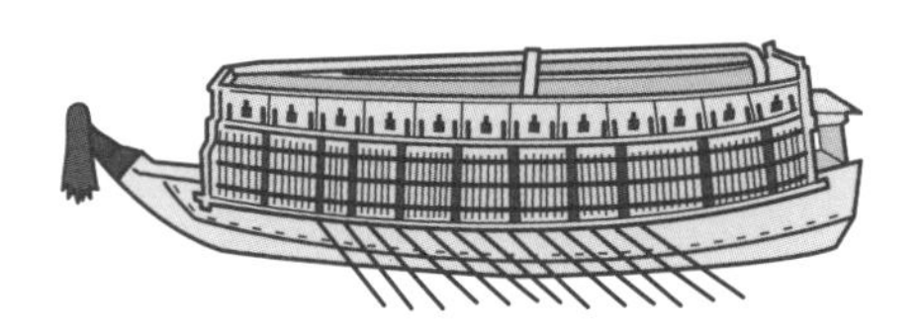

日本で初めて海賊を組織したのは貴族の出身者

該当する時代	古代	中世	大航海時代	近世

該当する海域	大西洋	太平洋	インド洋

不満を抱える民衆が集結 瀬戸内海全域を支配した

歴史に残る日本初の海賊は、西日本の海上輸送の大動脈である瀬戸内海を中心に活動していた。商船などの獲物が豊富で、多くの島が点在する地形は隠れ家としてうってつけだった。そんな瀬戸内海で、日本で最初に海賊を組織化し、「日本海賊の元祖」とも呼ばれているのが藤原純友である。1000隻以上の大軍を率いて、2500人ほどの海賊たちをまとめていた。

藤原純友は、もともと名門・藤原家本流の家柄出身の貴族だったが、その恩恵を受けたとはいいがたく、父・良範は地方役人でしかなかった。結局、931年に親戚の斡旋もあり、海賊が多発していた伊予国で治安維持の任務を担うことになる。やがて任期を終えた純友だが、京には戻ることなく、海賊たちを取り締まるうちに海賊の心に同調し、自らが海賊の頭領となった。愛媛県の日振島を拠点に、瀬戸内海を船で縦横無尽に走り回り、一大組織を築き上げたのである。

純友が率いた海賊集団は、漁民や土着化した官吏などで構成されていた。貧困問題を抱え、公家による搾取に不満を持っていた彼らの攻撃対象の多くは政府の穀倉や輸送船であった。純友の海賊は一般的に想像される夜盗や盗賊のイメージとは異なり、朝廷への反乱という意味合いが強かったようだ。淡路国（淡路島）や讃岐国（香川県）を攻め上がり、筑前国（福岡県）にある行政機関の中枢だった大宰府までも襲撃した。

時を同じくして関東では平将門が武装蜂起する。将門と純友は互いに連絡を取り合っているとの噂も流れ、京の都を震え上がらせた。東西の反乱に危機を感じた朝廷は本格的に純友を討伐をするために瀬戸内海に大軍を派遣。純友は941年に博多湾の戦いで敗れて捕えられ、獄中で亡くなった。

日本の海賊の始まり

朝廷に反旗を翻した元役人の海賊

藤原純友は役人だったが、朝廷に不満を持ち海賊の頭領となった。海賊たちは朝廷の船などを頻繁に襲った。

瀬戸内海で海賊の被害が多発

平安時代中期、瀬戸内海は金や銀、穀物などの物資を各地へ運ぶ重要なルートだった。商船を襲う海賊たちが増え、海を荒らし回っていた。

海賊討伐

海賊の被害に困った朝廷は、海賊追捕使（ついぶし）を派遣し、海賊たちを取り締まった。瀬戸内海を中心に西日本の海で活動した。

役人が海賊の頭領になった

藤原純友は海賊を討伐しながらも、朝廷のあり方に不満を持ち、自らが海賊の頭領となり、朝廷に反抗した。1000隻以上の船を組織し、朝廷に貢物を運ぶ船を襲った。

元寇をやっつけろ！ 復讐心から生まれた前期倭寇

該当する時代 ▷	古代	**中世**	大航海時代	近世

該当する海域 ▷	大西洋	**太平洋**	インド洋

南北朝時代に各勢力と取引 商人としての顔も持つ

東アジア地域に出没した海賊として知られる倭寇。彼らは多いときで500隻、数千人の大船団で朝鮮半島や中国大陸沿岸で暴れ、朝鮮人や中国人に恐れられた。

倭寇の誕生には、元寇が大きく関係している。文永の役（1274年）と弘安の役（1281年）の２度の蒙古襲来で大きな被害を受けた対馬、壱岐、そして松浦地方（長崎県）の名主、地頭らが海賊化したのだ。元寇へ復讐のために朝鮮半島の高麗を繰り返し襲撃するようになり、これらが倭寇と呼ばれるようになった。やがて倭寇は大船団を組んで中国沿岸の港町も襲い、金品を日本に持ち帰るようになった。

当時の日本は南北朝時代で内戦が頻発。戦いで大量の物資が必要な各勢力は競って倭寇と取り引きをした。南朝と北朝が激戦を繰り広げた裏で、彼らの経済力を特別な後ろ盾や権威を持たない海賊組織が支えていたのだ。

また、内乱によって深刻な物不足の状態であったことから、権力者だけでなく、庶民も倭寇から品物を購入していた。つまり、倭寇は凶悪な海賊としての顔よりも、権力者、庶民も問わずに必要とされた貿易商としての役割を強く持っていたのだ。

ちなみに、14世紀から15世紀にかけて活動したこれら倭寇が「前期倭寇」と呼ばれているのに対して、16世紀になると「後期倭寇」と呼ばれる倭寇の活動が活発化した。その特色は構成員の中心が中国人であったことだ。当時の中国は明の時代で民間の貿易を制限し、貿易から得た利益を搾取する「海禁政策」をとっていた。この政策に一部の貿易商人が反発し、海賊組織となって九州北西部で密貿易を行ったり、より多くの富を得るために中国大陸南沿岸部を金品を奪うために襲撃したりするようになった。

朝鮮半島と中国沿岸を襲った前期倭寇

倭寇は前期と後期に分かれ、前期は日本人を中心とした海賊だった。彼らは朝鮮半島や中国を容赦なく襲った。

沿岸を荒らし回る

倭寇は朝鮮半島や中国に交易を迫り、決裂すると民衆を捕虜とし街を襲った。掠奪（りゃくだつ）した金品などは日本に持ち帰り、権力者や一般市民たちの手に渡った。

他国を荒らし回る倭寇

瀬戸内海や北九州を拠点にしていた倭寇は、食料難になると朝鮮半島や中国に侵出した。倭寇は海上で明の官兵と戦ったり、港町を襲ったりした。

Column

イケメンの倭寇の大将 阿只抜都（あきばつ）

前期倭寇を率いた中心人物で、当時は15歳ほどの眉目秀麗な少年だった。500隻の船で高麗を攻めたが、高麗軍の武将だった李成桂（りせいけい）に討たれた。総大将を失った倭寇軍は激怒し壮絶な戦いとなり、川は戦死者の血で1週間ほど赤く染まっていたという。

東洋海賊の作法 その三

瀬戸内海の治安を守った日本最強の海賊・村上海賊

該当する時代	古代	**中世**	大航海時代	近世

該当する海域	大西洋	**太平洋**	インド洋

掠奪行為に頼らない村上海賊 資金源は通行料と警固料

日本の海賊の歴史のなかで最強の海賊と恐れられていたのが、戦国時代に活躍した村上武吉である。

もともと武吉は伊予国（愛媛県）・能島を拠点に村上海賊の頭領として瀬戸内海で活動していた。戦国時代に日本を訪れたポルトガル人宣教師のルイス・フロイスは著書『日本史』で、「日本最大の海賊」「大きな城を構え、多数の部下や領地や船舶を有して（いた）」と書き残している。当時の外国人宣教師たちに、その名が知れ渡るほど彼の勢力は大きなものであったようだ。

また、武吉は西洋の海賊を連想させるような豪快な男であったという。首に金の鎖を巻き、部下が手柄を立てるとその場で鎖を引きちぎり、褒美として与えていたという伝説がある。

いかにも海賊の頭領らしい豪快なエピソードだが、一方で武吉が率いる村上海賊には意外な一面があった。海賊行為の定番である掠奪を稼業としなかったのだ。自らの縄張りであった瀬戸内海を通航する船から積み荷の量に応じて通行料を徴収しており、これを資金源としていた。さらに船を警護するための警固料を納めた船には村上海賊のメンバーが乗り込み、行き先までの航海の安全を守った。

第一次木津川口の戦い（1576年）では、村上海賊はかねてより良好な関係であった毛利家の主力として、織田軍勢と激突した。村上海賊700隻は織田方の水軍300隻を焙烙と呼ばれる手投げの焼夷弾と火矢で攻撃。織田方船団を炎上させ撃沈させ、大勝利を収めた。

ちなみに、明治時代の日本海海戦で、連合艦隊の司令官だった東郷平八郎は秋山真之に命じ「丁字戦法」を駆使してロシアのバルチック艦隊を破っている。この戦法は村上海賊を参考にしたものであった。

村上海賊は「守る」海賊だった

村上海賊は、暴れ回る怖い海の盗賊ではなかった。海賊たちを取りまとめ瀬戸内海の治安を守った。

上乗り

瀬戸内海を通るすべての商船は村上海賊に通行料を払った。追加で料金を支払うと、上乗りと呼ばれる村上海賊たちが乗り込み、航海中の船を守った。

過所旗（かしょき）

通行料を支払った船は過所旗と呼ばれる村上海賊の旗を立てた。「上」という字が特徴的で、右には発給した者の名前、左は日付と村上武吉の花押が書かれた。

Column

日本海海戦の戦術の参考になった『舟戦以津抄（せんせんいつしょう）』

村上海賊の海戦術がまとめられた秘伝書。船の設計図や陣形、武器などさまざまなことが書かれている。日露戦争中の海軍の参謀だった秋山真之は、日本海海戦でこれをモデルに戦ったという。

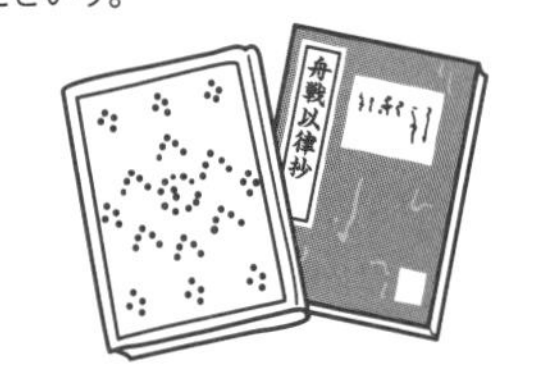

東洋海賊の作法 その四

戦国時代、海賊から大名に成り上がった者がいた

該当する時代	古代	**中世**	大航海時代	近世

該当する海域	大西洋	**太平洋**	インド洋

村上海賊だけじゃない 織田の九鬼(くき)水軍や徳川の小浜水軍

日本の海賊は水軍と呼ばれることもある。それは実際に戦国大名の軍隊組織のなかで水軍として海の軍隊の機能を果たしていたからだ。日本の海賊は権力者と強いつながりを持つことで、組織を維持するしたたかさを持っていたのである。

村上海賊の頭領である村上武吉(たけよし)は戦国時代の中国地方の覇者である毛利家と関係が強かった。1574年に小早川(こばやかわ)隆景(たかかげ)を中心とした毛利勢の傘下に入ると、毛利水軍の中核武将となった。

織田信長の水軍として活躍したのが九鬼嘉隆(よしたか)だ。伊勢国(いせのくに)の武家であった嘉隆は、信長が伊勢国に侵攻すると、信長と協力関係を築いた。織田水軍の中枢を担うことで、海賊大名の異名を持っていたという。信長の死後は豊臣秀吉の水軍となり、関ヶ原の戦いでは石田三成が率いる西軍に従った。三成が破れると一族の行く末を案じて、徳川家康に許しを得るために自ら切腹。結果として九鬼家を存続させることに成功している。

また、伊勢国の海賊衆・小浜景隆(おはまかげたか)は信長の伊勢侵攻により、九鬼水軍に敗れている。伊勢湾から追い出されてしまう景隆だったが、その後は武田信玄の水軍大将となり、武田家滅亡後は徳川家康の水軍となった。

このように、日本海賊は戦国大名の後ろ盾で活動を拡大させ、その多くが正式に戦国大名に従属していった。海賊たちの力なくして海上での戦に勝つことは不可能だったのである。そして秀吉が天下を統一して戦国時代が終わると、1588年に「海賊禁止令」が発令される。海賊は大名たちの正式な配下となるか、農民になるかを選ぶことを迫られた。続けて天下の覇権を握った家康もこの政策を踏襲したことで、江戸時代初期には日本の海から海賊は姿を消すことになった。

海賊は「水軍」となり武将に仕えた

村上海賊のほかにも、日本の沿岸部にいた海賊集団は各地の武将や大名たちに仕え、水軍として戦うようになった。

戦国武将に仕えた海賊

戦国時代になると、日本沿岸部の海賊たちは各地の大名や戦国武将たちから海の傭兵として頼られ、水軍として活躍するようになった。織田信長に仕えた「九鬼水軍」などが有名である。

水軍の戦い

武将たちは水軍を率いて海戦を繰り広げた。戦国の覇者・織田信長は、火矢を投げ込まれても燃えない鉄甲船を造り、敵の水軍を打ち破った。

東洋海賊の作法 その五

安宅船は戦国時代に活躍した日本最大の軍艦船だった

該当する時代	古代	**中世**	大航海時代	近世

該当する海域	大西洋	**太平洋**	インド洋

乗員500人の大型船から小回り重視の小型船まで

古くから日本の海賊は火力に重点を置いていた。これは海戦で対峙するすべての船が木造であったためであり、特に重宝された武器が「火矢」であった。矢の先に油を染みこませて火をつけ、敵の船に向かって矢を放った。船を燃やして沈めたのだ。

戦国時代になると村上海賊は「焙烙」と呼ばれる武器を使っている。陶器に火薬を入れ導火線に火をつけて、敵船に向けて投げ込むというもの。接近戦では手で投げ込むが、遠くの敵には縄をつけて、ぐるぐる回しながら投げ込んで攻撃した。

「焙烙」をはじめとする村上海賊の圧倒的な火力によって敗れた織田信長傘下の九鬼水軍は、火力対策のため安宅船の新型軍船「鉄甲船」を開発する。

安宅船は長さは30～55m、500人が乗船することができた大型の軍船で、「鉄甲船」は敵の攻撃で船を燃やされないように薄い鉄の板で船の外板を覆った。さらに船内には多くの大砲や鉄砲を積んだ。この新型軍船で九鬼水軍は、再び対峙した村上海賊を撃破することに成功した。

ほかにも戦国時代の海賊は「関船」と「小早船」という軍船を使用していた。「関船」の特徴はスピードだ。長さ20～30m、50～150人が乗船できる中型軍船で、船体は細長く、船の先は波を切りやすい形であったため速度が速く、「早船」とも呼ばれていた。平常時は中央の帆柱を立てて帆を張って航海していたが、戦闘時は櫂で移動した。

「小早」は海上を素早く移動し、暴れ回ることができる軍船。長さ10～20mほどで20～50人が乗船できた。相手の船に接近して戦うため防御用の板も外板についていて、偵察や小回りが利くため、仲間同士との連絡手段としても使った。

戦国時代の海上戦は３つの船が活躍した

戦国時代の船合戦で活躍した軍船は３種類あった。安宅船は当時最大の軍艦船だった。

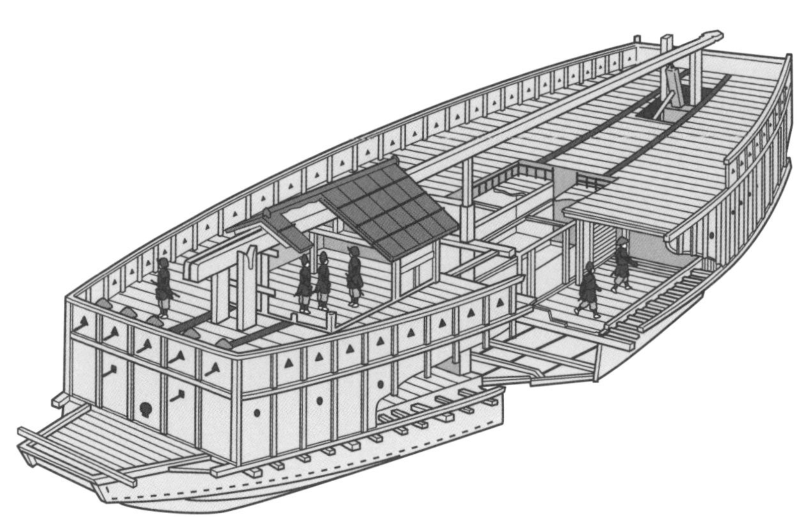

安宅船

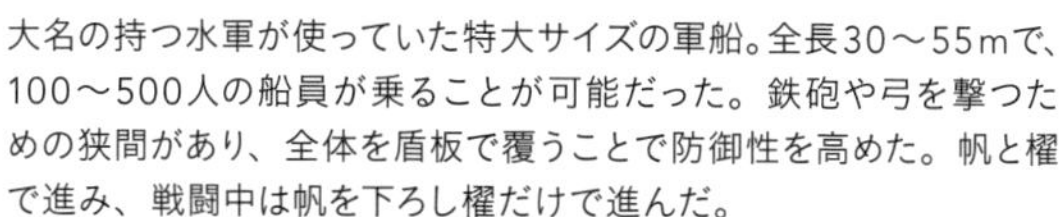

大名の持つ水軍が使っていた特大サイズの軍船。全長30～55mで、100～500人の船員が乗ることが可能だった。鉄砲や弓を撃つための狭間があり、全体を盾板で覆うことで防御性を高めた。帆と櫂で進み、戦闘中は帆を下ろし櫂だけで進んだ。

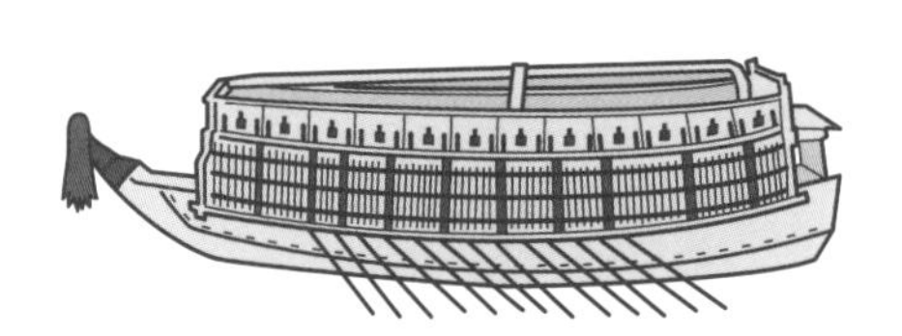

関船

海賊たちが使っていた大型軍船。全長20～30mで船体が細長く、安宅船よりも機動性に優れた。長く突き出した船首が特徴的。

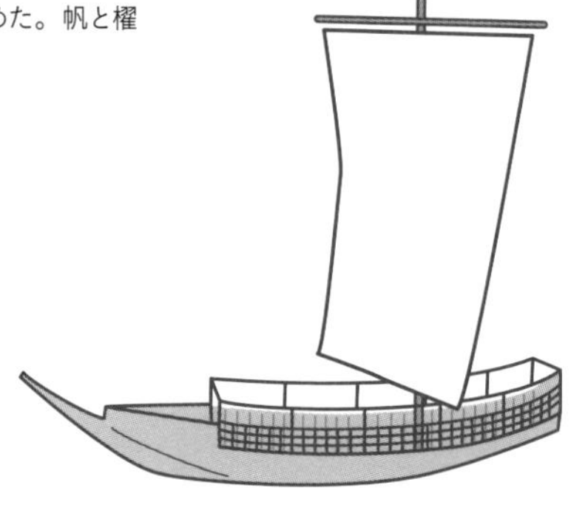

小早船

関船よりも小型の軍船で、全長は10～20m。小回りが利き、偵察や連絡、接近戦などに使われた。左右の縁に攻撃を防ぐ盾板がついていた。

相手を海に落とすための特殊な槍を使っていた

鉄砲のほかに、海戦用に工夫した武器を使っていた。遠距離攻撃では火器を駆使して戦った。

火矢

矢の先に油をつけて火をつけて射った。古くからある武器。

焙烙火矢（ほうらくびや）

焙烙玉を棒状にして、鉄砲から打ち出したようにしたロケット型の兵器。「棒火矢」とも呼ばれる。

焙烙玉

陶器に火薬を詰め込み、導火線に火をつけて敵の船に投げ込んだ。距離が遠い場合は縄をつけて回して投げた。

船槍

刃先が鎌のようになっていて、相手の服や鎧に引っかけて海に落とした。さまざまな形状の刃先があった。

船合戦で行ったさまざまな戦術

船合戦はさまざまな戦闘術があり、船によって合図が決められていたり、陣を組んで相手を攻撃した。

鐘を鳴らして合図

「鐘を3回叩いたら撤退」などの合図をあらかじめ決めておいた。鐘は鉄や銅でできていて、大きい音が響き渡った。

盾板から乗り移る

敵船に乗り移るときは、一部の盾板をはずして中に入った。敵の船に近づくため、高度な操縦技術を必要とした。

陣形

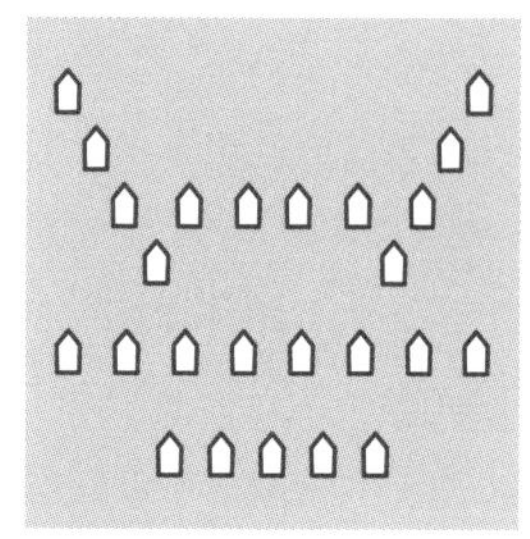

鶴翼(かくよく)の陣

鶴が翼を広げたような陣形。両翼の先端が敵船の側面などに回り込んで攻撃した。

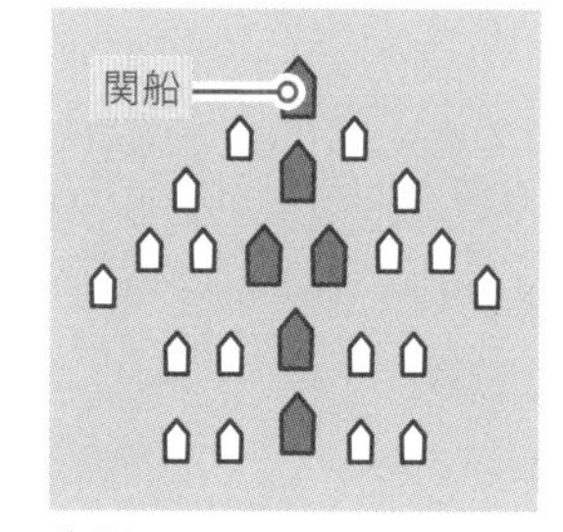

魚鱗(ぎょりん)の陣

逆三角形の陣形。攻撃においては、敵の守備が薄いところを突いた。防御力も高かった。

方円(ほうえん)の陣

円のように陣形を組み、全方位に船を配置した。四方からの攻撃にも対応でき、攻撃することもできた。

東洋海賊の
作法
その六

中国にも古代の時代から海賊は存在していた

該当する時代	古代	**中世**	大航海時代	近世

該当する海域	大西洋	**太平洋**	インド洋

2000年前から存在した東シナ海沿岸の海賊

今から約2000年前、中国の東シナ海沿岸は多くの港町があり多くの商船が行き交っていた。また、数えきれないほどの入り江があり、海賊が狙う船を隠れて待ち伏せする場所としてうってつけの場所だった。海賊の多くはこの地域に住む貧しい人たち。生きていくために必要な金や食料を掠奪するために港を行き交う船を襲ったのである。ほかにも、権力者に抗うために海賊になった人たちもいた。

彼らは海の近くの村に脅迫状を送りつけることを常套手段としていた。村人を恐怖で震え上がらせ、戦意を失わせ降伏させていたのだ。政争が頻繁に起きていたため、中国には大物の海賊が出現している。

中国で歴史上、初めて記録された海賊は１世紀終わりから２世紀初めに活動していた張伯路であろう。皇帝のような衣装をまとい、3000人あまりの部下を率いて中国大陸沿岸を中心に襲っていたという。

三国志の時代には青州の沿岸を荒らした管承がいた。唐の時代は海南島を拠点に馮若芳がペルシア船を襲っていた。彼は748年に日本への航海に失敗して海南島に流れ着いた僧侶、鑑真和上を手厚くもてなしたことでも知られている。さらに元末期には塩の密売商人から海賊となった方国珍が数千の海賊衆をまとめ上げていた。

また、16世紀終わり頃は林鳳が南シナ海で海賊行為を行っていた。広東省出身の彼が1574年に大船団を率いてルソン島を攻めたことが、アジアへ進出していたスペイン人の記録に残っている。

このように、中国大陸沿岸では古代より多くの海賊たちが海で活動していた。中国の海賊たちは20世紀の初めまで存在し、長い間人々から恐れられていたのである。

中国の海賊

生きるために海賊がたくさんいた古代中国

中国の沿岸には古代から多くの海賊たちがいた。彼らは貧困のため海賊行為を行っていたのである。

交易船を襲う海賊

中国大陸の東シナ海には多くの港町があり、交易船がたくさん行き来していた。生活に苦しむ人々は海賊になり、交易船を襲い金品や食料を奪った。

Column

三国志の武将・甘寧(かんねい)は元海賊？

呉の戦上手な武将として有名な甘寧は、若い頃は派手な羽織を着て、腰に鈴をつけ、部下を引き連れ暴れ回っていた。そのため甘寧は元海賊だったとして知られるが、実際には「水賊」が正しい。中国内部には無数の河川や湖があり、甘寧が活動していた長江は東シナ海へと注ぐ川だった。このように、三国志時代は海賊や水賊、湖賊などさまざまで、総称して海賊と表現されることが多い。

東洋海賊の作法 その七

日本に鉄砲を持ち込んだのは中国の海賊船だった

該当する時代	古代	中世	大航海時代	近世

該当する海域	大西洋	太平洋	インド洋

中国の密貿易商人だった後期倭寇（わこう）の海賊たち

13世紀から16世紀、東アジアの海域で海賊行為を行っていた集団・倭寇。そのなかで、15世紀までの倭寇を前期倭寇、16世紀以降の倭寇を後期倭寇と呼んだ（134ページ参照）。前期倭寇は、主に北九州や瀬戸内海を拠点に活動し、船員のほとんどは日本人だった。後期倭寇は朝鮮半島から香港、マカオで積極的に密貿易活動を行い、船員の約7割以上は中国人で構成されていた。

この時代の倭寇の中心人物が王直（おうちょく）である。もともと商人であり、日本、ルソン、シャムと正規に貿易をしていた。しかし、明朝政府が海外貿易の権利を独占していたため、中国沿岸に海賊船を送り込んで掠奪（りゃくだつ）行為を及ぶようになる。その後日本の長崎の五島や平戸を拠点に密貿易を行うようになった。やがて王直は東シナ海、南シナ海での密貿易の中心人物となった。

その王直は日本人が初めてポルトガル人から鉄砲を購入した際に仲介役を務めたという話も残っている。ほかにも倭寇は日本の銀、朝鮮半島や大陸の絹や陶器、さらにポルトガル、スペインの商品も扱った。倭寇のもとには世界中の品々が集まっていたといっても過言ではなく、東西の文化交流の担い手でもあったのである。

後期倭寇が勢力を伸ばした背景には、中国の明王朝も日本の室町幕府もちょうど、力が衰えていた時期であったことが大きかったようだ。国内で内乱を抱えていた両政府は、倭寇を積極的に鎮圧するまで手が回らず、その隙に勢力を拡大させたのだ。

このように、後期倭寇は密貿易を行うとともに商船を襲い金品を掠奪（りゃくだつ）した。しかし結局、倭寇は取り締まりが強くなったことで勢力が縮小。加えて交易が解禁されたことで密貿易の必要性が薄まり、後期倭寇はその存在意義を失って衰退していった。

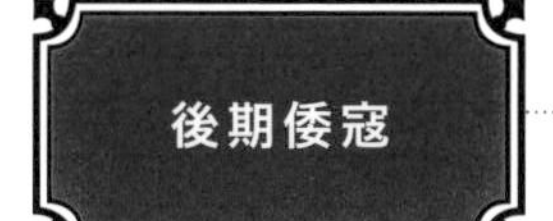

密貿易で栄えた後期倭寇の海賊

主に中国人たちで構成された後期倭寇は、密貿易や掠奪を行った。なかには日本の大名と交易する海賊もいた。

密貿易

明朝政府の「海禁政策」により、貿易を制限されていた貿易商人たちは密貿易を行った。日本から主に銀を輸入し、日本に生糸や絹、鉄砲の原料となる硝石や硫黄などを輸出した。

諸大名と交易の取引

倭寇は日本の諸大名とつながりを持つようになり交易を始めた。日本では鉄砲が高く売れたため、倭寇の頭目は巨額な利益を得た。

Column

倭寇のおかげで種子島に鉄砲が伝来!?

ポルトガル人が種子島に漂着し鉄砲が伝来したという説は有名だが、このときポルトガル人が乗っていた船は王直の密貿易船だった。王直はポルトガル人の持つ鉄砲を日本にもたらした。

ジャングルで神出鬼没に現れる東南アジアの海賊がいた

該当する時代	古代	**中世**	**大航海時代**	近世

該当する海域	大西洋	**太平洋**	インド洋

ジャングルで自由に動き回る原住民の海賊たち

大小さまざまな島の間を交易船が行き交う東南アジアの海域は、海賊の温床になりやすい地形でもあった。海賊の人種はさまざまで、中国人やイスラム教徒、さらにはヨーロッパ人もいた。もちろん最も多かったのは現地人の海賊で、カリマンタン島沿岸地域を襲ったダヤク族はマレー人と結びつき、海賊団を形成して恐れられていた。さらにミンダナオ島に住むイヌラン人の海賊も名が知られた存在だった。

特に海賊が狙っていたのは日本の銀で、日本から産出された銀はヨーロッパまで運ぶために東南アジアを通過する必要があった。海賊にとって格好の獲物が、銀を積んだ交易船だったのだ。

東南アジアの海賊たちは主に細長い船を使用していた。大きいもので長さ約30メートル、幅約3メートル。櫂（かい）で進むこの船はとてもスピードがあり、獲物が近づくまでは島陰に隠れ、チャンスと見るや、神出鬼没に現れて通った船を襲撃した。

さらに、釘を使わずに藤（とう）という植物で結び合わせて作られた船も使っていた。釘打ちをしていないことから、敵に追い込まれたときは船を即座に分解し、ジャングルのなかに持ち込んで一時避難できた。危機が去ると再び組み立てたのである。

使用した武器は剣やナイフ、そして槍など。どれも東南アジア独特のものであった。特に東南アジア海賊の珍しい武器として挙げられるのが吹き矢だ。ダヤク族がサンピタンと呼ばれる毒のついた吹き矢を使用していた。長さは150〜180cmのもので、狙いを定めるための小さな輪と最後の一撃を加えるための槍がついていた。

原住民の海賊は、西洋の海賊たちのように大きな船や鉄砲などの武器を持たなかったが、ジャングルならではの戦術に長け引けを取らなかった。

東南アジアの海賊

島陰から襲いかかる原住民の海賊たち

島や入り江の多い東南アジアの原住民たちは、通りかかるヨーロッパの商船を待ち伏せて襲いかかった。

ダヤク人の船

東南アジアの原住民の海賊たちが使った船は、小型で細長く軽かった。島陰に隠れて待ち伏せし、通りかかった商船を容赦なく襲った。敵から追われたときは、船を分解しジャングルに持ち帰り逃げたという。

カンピラン

ダヤク人が使っていた剣。全長70〜110cmほど。敵の首を切り落とした。

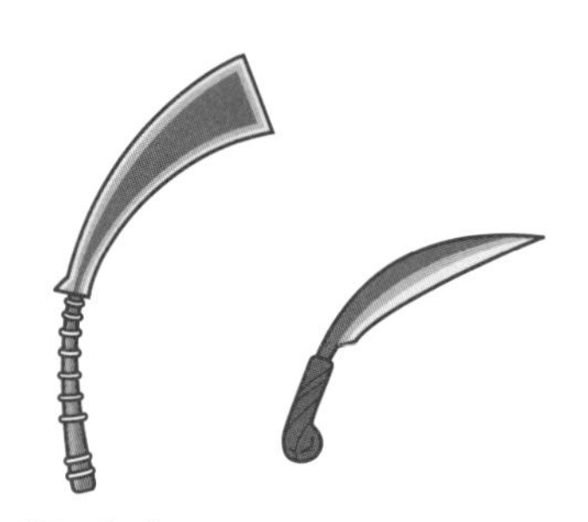

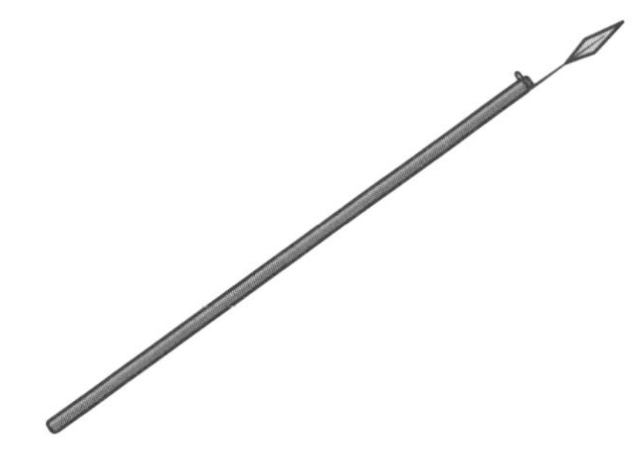

パナバス、タバ

フィリピン諸島で使われたナイフで、刃が曲がっているのが特徴的。振り下ろして攻撃をした。

サンピタン

ダヤク人が使った吹き矢で、矢には毒がついていた。筒の先にある輪で狙いを定め、先には槍がついていた。

東洋海賊の作法 その九

ヨーロッパ諸国も敵わなかった中国最大の海賊連合

該当する時代	古代	中世	大航海時代	**近世**

該当する海域	大西洋	**太平洋**	インド洋

中国最大の海賊団を組織した女海賊がいた

中国の海賊最大の組織と呼び声高いのが、1805年に鄭乙(チェンイー)を中心に結成された海賊連合である。300隻以上の船と2万～4万人の戦闘要員で構成された組織で形成され、赤、黒、白、黄、緑、青の旗で分けられた6つの海賊艦隊を保有していた。中国船だけでなくヨーロッパやアメリカの船も襲撃した。

1807年に鄭乙が急死すると、その妻・鄭(チェン)夫人が海賊連合の女大将に就任する。鄭夫人は構成員に「命令に逆らうと死刑」「食料をくれる村で乱暴を働くと死刑」など、厳しい掟を定めた。鄭婦人は商才もあったようで、奪った金品を高く売りさばいて豊富な資金を蓄えることにも成功していたという。

ところが、そんな海賊連合の栄華も永遠ではなかった。当時の中国社会に大きな影響を与えたアヘンが原因で、急速に力を失っていく。中国でアヘンがまん延すると、海賊船内もアヘンを使用する人が続出。背景には海賊船内の過酷な生活にあった。乗員が過剰に乗り込む船内は米や魚が頻繁に不足する。海賊も常に景気がいいわけではなく、極限状態に陥るとゴキブリやネズミを口にすることも少なくなかった。このような状況で乗員が一時の快楽を得ようと、アヘンに身を委ねてしまったのだ。

そして中国海賊はアヘンを自分たちが使用するだけでなく、商売の道具にもしていく。アヘンをもともと商売にしていたイギリスがこれに激怒し、清国政府に厳しく抗議し対策を求めた。

この抗議を受けて、清国の政府も本格的に海賊退治に乗り出し、最終的に海賊連合は降伏。一時は政府が手も足もでないほど勢力を拡大させた海賊連合だったが、母国である清国とイギリスという厄介な相手を敵に回してしまったことで壊滅に追い込まれることになった。

海軍よりも強すぎた中国の大海賊

清王朝に反抗し、中国の海を支配した海賊連合。大規模な組織をまとめるためには厳格な掟が必要だった。

海賊連合の艦隊

赤旗艦隊、黒旗艦隊などの色でグループ分けされ、各艦隊につき70隻以上の船を保有した。なかでも最強だったのは赤旗艦隊で、保有する船は300隻。戦闘員は2万〜4万ほどいた。中国の海軍は鎮圧された。

「成果報酬型」のビジネス

どんな小さなものでも戦利品は商品となり、監査員が見積もりを立てた。その20%が海賊の給料となり、商品の売上金は組織運営のための資金になった。

厳格な掟で海賊たちを管理

大規模な海賊たちを取りまとめるため、厳しい掟が存在した。乱暴狼藉は厳禁で、命令に従わない者や掟を守らない者は容赦なく首をはねられた。

column ⑤

キャプテン・キッドの財宝が日本にも隠されている!?

海賊に関する逸話が複数残っている宝島

キャプテン・キッドが隠した財宝は、鹿児島県のトカラ列島にある「宝島」にも眠っているとされている。日本にもキッドの財宝？ そんな馬鹿なと思うかもしれない。たしかに、キッドはインド洋で活躍したが東アジアまでは来ていないのであり得ない話だ。しかし、キッドが航海していた江戸時代後期において、宝島でイギリスの海賊と島民が交戦したという記録もある。この事件は「異国船打払令」の発令のきっかけともなり、現地にはこの事件を後世まで伝えるための石碑も設置されている。また、宝島では金や銅の採掘も試みられていた跡があるほか、平家の落人の持ち込んだ鏡が見つかっている。宝島にキッドの財宝が眠っているという情報は、昭和12年の新聞でもたらされた。その際、多くの人々が宝島に足を運んだという。

世界に名を轟かせた海賊たち

一攫千金を夢見て大海原を駆け巡り、獲物を見つけては掠奪行為を繰り返す――粗暴なイメージが強い海賊たちのなかには、まるで英雄のように語り継がれる者たちもいる。ここでは、世界にその名を轟かせた 15 名の海賊たちのエピソードや人となりを紹介する。

NO.01

ウルージ・バルバロッサ

生没年：不詳〜1518年
出身地：ギリシャ（諸説あり）
活動地：地中海

バルバリア海賊のなかで最も名高い男。ローマ教皇ユリウスⅡ世の財宝が積まれた船を掠奪（りゃくだつ）した事件をきっかけにその名が知れ渡る。アルジェリアの大部分を支配するも、統治に不満を募らせた民衆とスペイン遠征軍から攻撃を受ける。1万の軍勢を前に退却を余儀なくされたが、情が厚い彼は手下たちを見捨てることができず、乱戦のなかへ駆け戻り憤死した。

人種も不明な謎の男

ハイレッディンという弟がいたことは有名な話だが、それ以外は生まれた年すらも謎の男である。

NO.02

ハイレッディン・バルバロッサ

生没年：1483 年～ 1546 年
出身地：ギリシャ（諸説あり）
活動地：地中海

ウルージ・バルバロッサの実弟。アルジェリアを統治していたが、スペインを倒すためにオスマン帝国と同盟を締結。正式にオスマン帝国海軍の提督となり、スペインやイタリアといったキリスト教国を相手に激闘を繰り広げた。

60歳にして18歳の美女を妻に

60 歳のときに南イタリアを攻撃した際に、ハイレッディンは 18 歳の美女を妻とした。その後、海賊を引退した。

ロシアの開祖

ノヴゴロド公国は現在のロシアよりも小さな規模で造られた国だったが、ロシアの始まりとなった。

NO.03

リューリク

生没年：830 年～ 879 年
出身地：スウェーデン
活動地：ロシア

ヴァイキングの首長で、現在のロシア北西部に進出しノヴゴロド公国を建設した。その場所ではルーシ族による部族間の抗争が頻発していたため、その問題を治めるための人が必要となり、リューリクが王となった。

NO.04

クヌート

生没年：995 年〜 1035 年
出身地：ノルウェー
活動地：イングランド〜スカンジナビア半島

北海の覇者と呼ばれる伝説のヴァイキング。デンマーク王・スヴェンⅠ世の息子でもあったクヌートは、他国への侵略行為を活発化。最盛期はデンマーク、イングランド、ノルウェーの 3 カ国の王として君臨した。

クヌート王の死後

3 国の王を務めたクヌートの死後、息子たちが王の座を争ったことにより、帝国は崩壊への道をたどることとなる。

アルヴィルダを追いかけた婚約者

アルヴィルダを忘れることができなかった婚約者のアルフ。アルヴィルダを追い求め海へ渡り、正式に彼女を妻にした。

NO.05

アルヴィルダ

生没年：詳細不明（5世紀半ば？）
出身地：ユトランド半島（諸説あり）
活動地：北海・バルト海（諸説あり）

王族の娘として生まれた伝説の女海賊。親から勧められた縁談を拒否し、海へと逃亡した際に船長を失った海賊団と遭遇。アルヴィルダの美貌と勇敢さが船員たちに気に入られ、新しい船長になったという。

NO.06

キャプテン・キッド
（本名：ウィリアム・キッド）

出没年：1645 年〜 1701 年
出身地：スコットランド
活動地：インド洋

名前は海賊の代名詞になっているが、海賊としての活動は少ない。むしろ、イギリス国内の政争に巻き込まれ極悪海賊とされた。イギリス政府に追われたキッドはボストンに入港した際に逮捕。絞首刑にされる直前、「ある場所に財宝を隠した」と言い放ったが刑が執行されてしまったためそのまま絶命。このことからキッドの財宝はまだ世界のどこかに眠っているといわれている。

キッドが隠した宝

世界各地に財宝を隠したという伝説があり、今もなお一攫千金を夢見る人たちが数多くいる。

NO.07
ヘンリー・モーガン

出没年：1635年～1688年
出身地：イギリス・ウェールズ
活動地：カリブ海

イギリス国王から騎士(ナイト)の称号を受けたモーガン。海賊からジャマイカ副総督となり海賊を取り締まる身となったが、海賊に戻りすぐに追われる身となる。すべてを失ったモーガンは酒に溺れ、53歳でこの世を去った。

カリブ海No.1の大物海賊

抜群の統率力と行動力で乗組員を従えてきたモーガンは、カリブ海No.1の大物海賊と呼ばれ、スペイン軍を撃破した。敵に対しては男女問わず容赦なく残虐な振る舞いをした。

見た目だけでなく行動も極悪

悪魔の化身と恐れられたティーチは、ある日突然部下の膝を銃で撃ち、「手下のひとりでも殺しておかないと、俺が誰か忘れられてしまう」と言い放ったという。

NO.08
エドワード・ティーチ

出没年：1680年～1718年
出身地：イギリス・ブリストル
活動地：カリブ海・大西洋

たてがみのような黒髪や、編まれたあご髭が特徴的なエドワード・ティーチ。奇抜な見た目と残忍な行動で世界を震撼させたが、イギリスの海賊掃討戦により命を落とす。海賊として活動したのはわずか15カ月だった。

NO.09

フランシス・ドレイク

出没年：1543 年〜 1596 年
出身地：イギリス・デボン州
活動地：大西洋・太平洋

イギリス人として初めて世界一周を成し遂げた航海者であり、最強の海賊。海軍副司令官へと転身した際は、スペインの無敵艦隊を打ち破り、イギリスを勝利へと導いた。

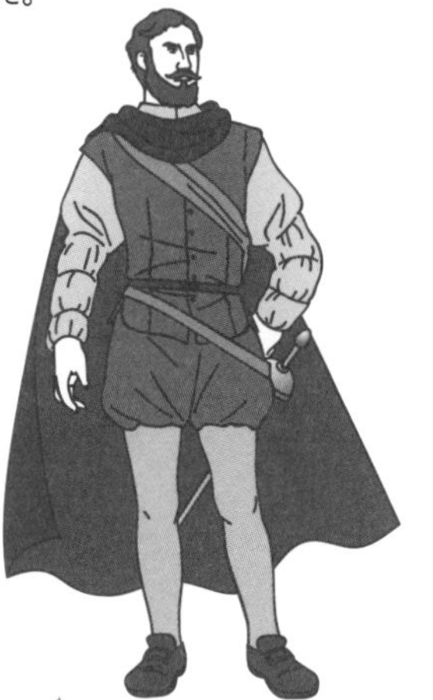

女王陛下の専属の海賊

世界周航を達成し、その航海中にスペインから奪った財宝は当時のイギリスの国家予算を超えるほどだった。その財宝を女王エリザベスⅠ世に献上し、「私の海賊」と呼ばれた。

船での厳しいルール

過度の飲酒の禁止、少年や女性を連れ込むことは禁止するなどの独自のルールが存在したが、ロバーツの最期のとき、部下たちは泥酔状態だった。

NO.10

バーソロミュー・ロバーツ

出没年：1628 年〜 1722 年
出身地：ウェールズ
活動地：カリブ海・大西洋

奴隷貿易船で航海士として働いていたロバーツは、海賊に掠(さら)われ、自らも海賊へと転身。わずか 6 週間で船長に上りつめるという偉業を成し遂げた。その後、イギリス海軍に追われ、銃で喉を撃ち抜かれた。

NO.11

鄭(チェン)夫人

出没年：18 世紀末～ 19 世紀初頭（諸説あり）
出身地：中国広州（諸説あり）
活動地：南シナ海

鄭夫人は、娼婦をしていた頃に海賊の首領である鄭乙(チュンイー)と出逢い結婚。これがきっかけで鄭夫人は海賊となる。鄭乙は強力なリーダーシップで海賊たちを率いていたが、急死したことで鄭夫人が首領を引き継ぐことになった。厳しい掟を強いることで海の荒くれ者たちをまとめ上げ、自国の清だけでなくイギリスやポルトガルも手に負えない大海賊となった。

鄭夫妻が作り上げた規則

ルールに従わない海賊は、問答無用で首をはねられた。細かい掟がたくさんあり、秩序ある海賊団を築いた。

NO.12

藤原純友（ふじわらのすみとも）

出没年：893 年～ 941 年
出身地：伊予国（いよのくに）
活動地：瀬戸内海・日振島

伊予の国府として海賊を取り締まっていたが、任期が終わると海賊へと転身。国府や朝廷の輸送船などを荒らした。その後、純友は朝廷から追われる身となり、激しい攻防戦の末捕らえられる。

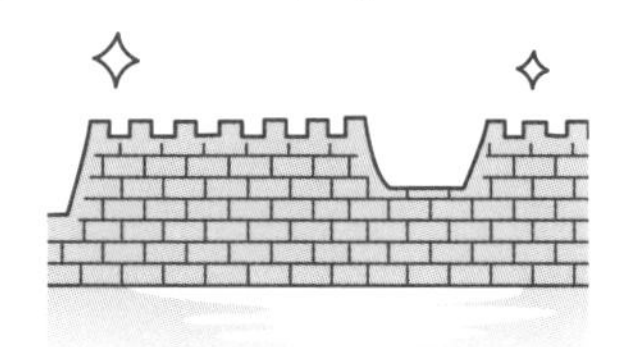

藤原純友の支配力

日振島や瀬戸内海の要衝に砦を築いた純友の支配海域は全長 500km にも及んだといわれている。当時の船は小型だったためこの組織力は凄まじいものだといえる。

一度は織田信長にも勝っていた

1576 年の石山本願寺の戦いでは、織田信長の船団を蹴散らし炎上させている。その後、織田信長の命を受けた九鬼水軍に敗れ、瀬戸内海の制海権を失った。

NO.13

村上武吉（たけよし）

出没年：1553 年～ 1604 年
出身地：能登（のと）
活動地：瀬戸内海

瀬戸内海を牛耳っていた村上海賊の惣領（そうりょう）。瀬戸内海の制海権が織田方に移ってからは能島を拠点としていたが、豊臣秀吉が海賊停止令を発布したことにより村上海賊は終焉を迎えた。

NO.14

九鬼嘉隆

出没年：1542年〜1600年
出身地：志摩国
活動地：瀬戸内海・東シナ海

志摩国の武家である九鬼家の八代目当主で、「海賊大名」の異名を持つ。織田信長が伊勢国に勢力を伸ばしたことをきっかけに協力関係になり、のちに嘉隆は信長に召し抱えられた。

秀吉の天下統一に貢献

信長の死後、嘉隆は豊臣水軍の大将となり、豊臣秀吉の天下統一の戦いに尽力した。その生涯から、江戸時代の軍記物で「海賊大名」として記され、有名になった。

鶴姫の無念

大内軍との戦いのなかで恋人の越智安成が戦死。鶴姫は大内軍に夜襲を仕掛け撃退したが、亡き恋人を追って18歳という若さで海に消えた。

NO.15

鶴姫

出没年：1526（諸説あり）〜1543年
出身地：大三島
活動地：瀬戸内海

瀬戸内海のジャンヌ・ダルクと呼ばれた鶴姫。大山祇神社神官の家系。多岐にわたった大内軍との戦いでは、あるときは遊女に化けて敵将を刺し殺し、あるときは陣頭指揮をとって自ら大薙刀を振るったという伝説もある。

今も人々に夢とロマンを与え続ける——

文化へと昇華した美化された海賊像

時代の変遷とともに減少していった海賊たち。しかし近代に入り、彼らは再び脚光を浴びるようになる。荒くれ者で悪党だけれど、夢を追い求めるロマンティスト——彼ら海賊は、芸術作品のモデルとしてうってつけだったのだ。本章では、文化の一端を担うようになった海賊を追う。

海を舞台にした冒険、財宝、戦い…etc.

壮大な海洋ロマンが多くの人々を魅了

世界の海軍により海賊の活動が沈静化すると、人々はあっという間に海賊を忘れていった。多くの作家により海賊を盗賊から悪漢、そして英雄に変えた。海賊を題材とした作品が次々に創作されるようになったのだ。そのなかには恐ろしさで震え上がってしまうほどの極悪非道な行いを記した作品も存在するが、それと同時にロマンチックに描かれた作品も数多い。

世界的に有名な『ピーター・パン』に登場するフック船長というキャラクターは、恐ろしい海賊のイメージを作り上げた。魔法の島と海賊船を舞台としたこの作品は、少年が海賊を打ち負かす痛快なストーリーで世界中の人々を魅了した。

ビートルズは海賊だった!?

イギリス海賊が生んだパンク・ロック

イギリスのリヴァプールにはかつて海賊と関わりが深かった港がある。そんなリヴァプール出身のロックバンド「ビートルズ」は、1970年代に活躍し、新しい音楽と若者文化の先駆けとして世界中を魅了した。港には世界中の人々が集まり、さまざまな国の音楽が聴けたという。そんな環境で育ったビートルズの活躍に魅了された多くのロッカーたちは、ビートルズに続きスターになった。一方で、置き去りにされてしまった無名のロッカーたちは「パンク」と呼ばれ、過激な音楽活動を続けたという。よくも悪くも大勢の人々に影響を与えた1970年代のブリティッシュロッカーたちの活躍は、かつての海賊を彷彿とさせている。

映画

映画史に残る大逆転劇!?

興行収入10億ドル超えの海賊映画

かつて製作費に1億円もの大金がかけられた海賊映画がヒットせず、ギネス記録に「最も赤字が大きい映画」として登録されてしまったことから、映画関係者のなかで「海賊映画は絶対にヒットしない」という暗黙のルールがあった。そのため、現在の海賊ブームの火付け役になったといっても過言ではない『パイレーツ・オブ・カリビアン』も、上映前はヒットしないだろうといわれていた。ところが、財宝と呪いをテーマにした『パイレーツ・オブ・カリビアン』は世界中で大ヒット。個性豊かなキャラクターたちと、爽快感に溢れる物語は多くの人々を熱中させた。まさに海賊映画の歴史と常識を覆した傑作といえる。

ギネスの世界記録に認定済み

海賊漫画王に……すでになっている！

日本を代表する漫画である『ONE PIECE』（尾田栄一郎）は、世界で4億8000万部を超える大ヒット作。2014年には、世界の累計発行部数が3億2000万冊を超えギネスの世界記録にも認定されている。個性豊かな登場人物に魅了され、ストーリーが展開されるなかで思わず目に涙を浮かべてしまった人も少なくないだろう。また、日本には『ONE PIECE』以外にも海賊がテーマの漫画作品も数多く存在する。日本の海賊として有名な村上海賊を題材にした『村上海賊の娘』（村上竜）や、南北朝時代～室町時代にかけてその名を世界に轟かせた倭寇をテーマにした作品も存在する。海賊文化は時代に合わせて色を変え、現在にまで生き続けているのだ。

海賊史年表

時代	年	歴史
原始	紀元前13世紀末	「海の民」のレヴァントが各地域を襲撃。
	紀元前12世紀頃	フェニキア人の海上貿易と、海賊活動が始まる。 その後ギリシャ人も海上貿易と海賊活動を開始した。
	紀元前11世紀半ば	ギリシャの王国連合とトロイア王国の間でトロイア戦争が勃発。 オデュッセウスがトロイアから10年間の帰還の旅に出発。
	紀元前1184年	トロイア戦争の終結と、トロイアの滅亡。
	紀元前560年頃	ギリシャの海賊の地中海での活動が目立ち始める。
	紀元前500年	イオニア植民市の反乱をきっかけに、アケメネス朝ペルシアがギリシャに侵攻する。これを機にペルシア戦争が勃発。
	紀元前480年	ギリシャ艦隊とペルシア艦隊の間で勃発したサラミス海戦で、アケメネス朝の指揮官であった女戦士のアルテミシアが活躍。
	紀元前330年	アレキサンダー大王が地中海での海賊行為を抑圧する。
	紀元前140年頃	キリキアの海賊活動が始まる。
	紀元前81年	カエサルが海賊の捕虜となる。
	紀元前67年	ポンペイウスが地中海で活動していたキリキア海賊を討伐する。
古代	60年	ローマ人が地中海で海賊を鎮圧しようとする。
	350年	ペルシア人がペルシア湾から、海賊を一掃しようとする。
	476年	西ローマ帝国が滅亡し、東地中海の海賊活動が盛んになる。
	5世紀頃	バルト海で活動していた女海賊のアルヴィルダの活躍。
中世	789年	ヴァイキングによるヨーロッパ大陸侵攻が始まる。ブリテン島沿岸を襲撃。
	8～11世紀	アイスランド、グリーンランド、北アメリカ大陸北端までに至るヨーロッパ各地にヴァイキングが侵入。
	862年頃	スウェーデン人のヴァイキングであるリューリクが、ロシアの最初の国家であるノヴゴロド公国を建国。
	911年	デンマーク人のヴァイキングであるロロがノルマンディ公国を建国。
	930年	瀬戸内海で、藤原純友による海賊活動が開始される。
	1028年	ノルウェー人でヴァイキングであるクヌートが、イングランド・デンマーク・ノルウェーの3つの国の国王となり海洋帝国を築く。
	1281年	元の皇帝であるフビライ・ハンが、中国の海賊の撲滅を図る。

※時代区分は西洋史を基準にしています。

中世	1399年	イングランドのプライベーティアの活動が目立ち始める。
近世	14〜15世紀	前期倭寇の活動がアジアで盛んになる。 村上海賊が瀬戸内海で活躍。
	1504年	ウルージがユリウスⅡ世が乗った船を襲撃。
	1518年	ウルージ、スペインとの交戦の末に戦死。
	1519年	ハイレッディンがアルジェリアの大提督に任命される。
	1522年	大西洋にて、フランスの私掠活動が盛んになる。 ジョン・ホーキンスがアフリカからカリブ海を航海。
	1534年	ウルージの弟、ハイレッディンがチュニスを占領。
	1538年	ハイレッディンが指揮するオスマン帝国の海軍と、スペインの海軍によるプレヴェザの海戦が勃発。
	1543年	鶴姫、大内義隆と三島水軍の戦いで多大な活躍をするも、この戦いで戦死した恋人を追い自害。(※伝説)
	1555年	村上武吉が厳島の戦いにて、毛利元就を勝利へと導く。
	1562年	グレイス・オマリがアイルランドの西部沿岸で活動を開始する。 スペイン海軍とホーキンス率いる私掠船が争ったサン・ファン・デ・ウルーア事件が起こる。
	1568年	オスマン帝国海軍と、教皇・スペイン・ヴェネツィアの連合海軍によるレパントの海戦が勃発。
	1571年	フランシス・ドレイクが、ノンブレ・デ・ディオスを襲撃。
	1576年	織田水軍と毛利水軍による第一次木津川口の戦いが勃発。織田水軍は大敗する。
	1577年	ドレイクが世界周航へと出発。
	1578年	第二次木津川口の戦い。織田信長は、九鬼嘉隆の活躍で勝利を収めた。
	1580年	ドレイクが世界周航に成功。
	1588年	アルマダの海戦でイングランドがスペインの無敵艦隊を破る。
	1590年	ホーキンスがフロビッシャ、アソーレス諸島の攻撃に失敗する。 ドレイクとホーキンスによる、最後の西インド諸島航海。
	1592年	文禄の役の際、秀吉は明の冊封国である朝鮮に服属を強要したが拒まれたため、大軍を率いて朝鮮へと出兵。
	1595年	80隻ものフランス戦がバルバリア海賊による襲撃を受ける。
	1597年	交渉の末に休戦した文禄の役だったが、講和交渉決裂により再び勃発。 休戦後の戦いは慶長の役と呼ばれている。
	16世紀	後期倭寇の活動が盛んになる。

近世	1603年	エリザベスⅠ世が亡くなる。
	1630年	バッカニアが、カリブ海のトルトゥーガ島を拠点とする。 イングランドにて航海法が制定される。
	1650年	イングランドが、バッカニアに対してスペインの報復を開始する。 ロッシュ・ブラジリアーノがメキシコからの財宝を積んだガレオン船を襲撃。
	1651年	フランソワ・ロロノアがマラカイボ制圧へと乗り出す。
	1660年頃	ロロノア、残虐非道な行動を繰り返し南米北東部沿岸を震え上がらせた。
	1666年	バッカニア頭目のエドワルド・マンスヴェルドが死去。ヘンリー・モーガンが後継者になる。
	1668年	モーガンによるキューバ、マラカイボなどの襲撃。
	1670年	モーガンがパナマを占領。
	1674年	モーガン、ジャマイカ副総督に就任。
	1678年	ジョン・エスケメリングが『アメリカのバッカニア』をオランダで出版し、ベストセラーに。
	1679年	ウィリアム・ダンピアが1回目の世界周航へ出発。
	1680年	イングランドとフランスのバッカニアが、10年にわたりカリフォルニアから中央アメリカの海岸地域を荒らし回る。
	1689年	ウィリアム・キッドがカリブ海でイギリスのプライベーティアになる。
	1691年	ウィリアム・ダンピアが1回目の世界周航を達成。
	1692年	モーガンの本拠地であったジャマイカのポート・ロイヤルで大地震が発生。町が津波に飲み込まれた。
	1694年	フランスがジャマイカの占領に失敗。
	1695年	ヘンリー・エイヴァリが紅海付近でムガール帝国の財宝船を掠奪（りゃくだつ）する。
	1697年	元私掠船船長でフランス海軍のジャン・バールが、9年続いたオランダとの海戦でフランスを勝利へと導く。
	1699年	ダンピアが2回目の世界周航へ出発。 海賊取締例がイングランド議会を通過する。
	1700年	この先約26年間、海賊の逮捕・処刑が相次ぐ。
	1701年	ウィリアム・キッドがロンドンで絞首刑にされる。
	1704年	アレクサンダー・セルカークが南米チリ沖の無人島で遭難。
	1707年	ダンピアが2回目の世界周航を達成。

近世	1708年	ダンピアが3回目の世界周航へ出発。
	1709年	セルカークが4年に及ぶ無人島生活の末、ウッズ・ロジャーズの私掠船によって救出される。
	1711年	ダンピアが3回目の世界周航を達成。
	1718年	黒髭ことエドワード・ティーチが、ノースキャロライナのオクラコウク湾で殺される。 ウッズ・ロジャーズが総督としてパナマ諸島に到着し、海賊に対して特赦令を布告。
	1719年	バーソロミュー・ロバーツが海賊活動を開始。
	1720年	アン・ボニーとメアリー・リードが逮捕。アンの夫であるジャック・ラカムは処刑された。 エドワード・イングランドが東インド会社のカサンドラ号を襲撃する。
	1721年	メアリーが獄死。
	1722年	バーソロミュー・ロバーツが英国海軍の軍艦の攻撃により死亡。52人の部下が死刑となる。
	1723年	ジョージ・ラウザがイーグル号の襲撃を受けて自害。
	1724年	ラウザの17人の部下がカリブ海にて処刑される。
近代	1775年	ジョン・ポール・ジョーンズがアメリカ独立戦争で活躍。アメリカ国民の英雄に。
	1776年	7月にアメリカ独立宣言が採択。
	1779年	アメリカ植民地の海賊がイギリスの船を襲撃。
	1807年	中国の海賊、鄭夫人が海賊連合軍隊を指揮する。
	1812年	海賊のジャン・ラフィートがアメリカの私掠船の船長になる。
	1849年	イギリスの艦隊が、中国の海賊連合艦隊を壊滅させる。
	1856年	イギリス、フランス、ロシアで私掠活動が廃止。
現代	1990年頃	南シナ海からマラッカ海峡にかけて、海賊事件が相次ぐ。
	1999年	インドネシアから日本に向け出発したパナマ籍貨物船の「アロンドラ・レインボー号」が海賊に襲われ消息を絶つ。
	2000年	世界各地で海賊が活動し、469件もの海賊事件が発生。
	2001年	9月11日のアメリカ同時多発テロ以来、海賊とテロが手を組んだ海上テロ事件が問題に。
	2002年	フランスのタンカー「ランブール号」に小型船が衝突するイスラム過激派による自爆テロが起きる。
	2005年	日本のタグボート「韋駄天」がインドネシアの海賊に襲撃される。船長含む3名が拉致されたものの、その後無傷で生還。

おわりに

役目を終えた哀愁も含めて 海賊の魅力である

危険を顧みることなく、自由と財宝を求めて大海原へと旅立った大航海時代の海賊たち。この頃のヨーロッパの国々は、彼らに私掠船免状（しりゃくせんめんじょう）を与えて好き勝手させていた。

しかし、自分たちが植民地を手に入れ、富を得るようになると、海賊が邪魔な存在になり排除の動きを活発化させる。

結局、ヨーロッパの覇権主義によって海賊は滅びる

ことになるのだが、時代に翻弄されてしまったもの悲しさも含めて、彼らの魅力ではないだろうか。

日本においても豊臣秀吉によって海賊停止令が出されるが、時代の役目を終えた哀愁を含めて、海賊のストーリーは初めて完結するのではないだろうか。

とはいえ、海賊は姿かたちを変えて今でも現代にはびこっていることを忘れてはならない。ソマリア海賊やマラッカ海賊などは世界の脅威であり、実際に日本船籍の船も標的にされているのだ。

海賊という存在は決して遠い昔の夢物語ではない。彼らの歴史を振り返ればわかるように、国際情勢や宗教対立、政治不信によって、時代を問わず生み出されることは間違いないのだから——。

山田吉彦

参考文献

『海賊の掟』山田吉彦 著(新潮新書)

『海のテロリズム 工作船・海賊・密航船レポート』山田吉彦 著(PHP新書)

『海賊の歴史 カリブ海、地中海から、アジアの海まで』
フィリップ・ジャカン 著／増田義郎 監修／後藤淳一、及川美枝 訳(創元社)

『「知」のビジュアル百科26 海賊事典』リチャード・プラット 著／朝比奈一郎 訳(あすなろ書房)

『海賊の世界史 古代ギリシアから大航海時代、現代ソマリアまで』桃井治郎 著(中央新書)

『〈海賊〉の大英帝国 掠奪と交易の四百年史』薩摩真介 著(講談社)

『海賊の文化史』海野 弘 著(朝日新聞出版)

『海賊の経済学 見えざるフックの秘密』ピーター・T・リーソン 著／山形浩生 訳(NTT出版)

『海賊王列伝』海賊研究団 著(竹書房)

『世界の海賊大図鑑 ①地中海の海賊とヴァイキング』森村宗冬 著(ミネルヴァ書房)

『世界の海賊大図鑑 ②大航海時代の海賊たち』森村宗冬 著(ミネルヴァ書房)

『世界の海賊大図鑑 ③日本とアジアの海賊たち』森村宗冬 著(ミネルヴァ書房)

『伝説の海賊＆大事件事典』ながたみかこ 著(大泉書店)

『水軍の活躍がわかる本』鷹橋 忍 著(河出書房新社)

『SAKURAMOOK55　戦国海賊伝』(笠倉出版社)

※そのほか、数多くの海賊に関する資料を参考にさせていただきました。

監修　山田吉彦（やまだ・よしひこ）

1962年、千葉県生まれ。博士（経済学）。学習院大学経済学部卒業後、日本財団（日本船舶振興会）に勤務。現在は、東海大学静岡キャンパス長・学長補佐、海洋学部教授。海上保安体制、現代海賊問題などに詳しい。著作に『天気で読む日本地図』『海のテロリズム』『日本の国境』などがある。

STAFF

企画・編集	細谷健次朗、柏 もも子、工藤羽華
営業	峯尾良久、長谷川みを
執筆協力	村沢 譲、野村郁朋、龍田 昇、玉木成子、海老原一哉
イラスト	熊アート
デザイン・DTP	G.B. Design House
表紙デザイン	森田千秋（Q.design）
校正	ヴェリタ

新世界　海賊の作法

初版発行 2021年5月31日

監修　山田吉彦

発行人　坂尾昌昭
編集人　山田容子
発行所　株式会社G.B.
〒102-0072　東京都千代田区飯田橋4-1-5
電話　03-3221-8013（営業・編集）
FAX　03-3221-8814（ご注文）
https://www.gbnet.co.jp

印刷所　音羽印刷株式会社

ISBN 978-4-910428-05-5